KB195799

다낭~
날씨는
당신의
~~기분
같아서

목차

네 번째,

시선을 밖으로

다섯 번째,

특별한 일상

글을 시작하며

모든 이의 경험이 같을 수는 없습니다. 같은 KOICA(한국국제협력단) 봉사단원이라도 파견 지역, 활동 기관, 개개인의 성격과 가치관에 따라 다른 것을 보고 느낍니다. 그러니 저의 경험이 모든 봉사자에게 해당되는 것이 아니며, 제가 느낀 점이 KOICA 해외봉사활동의 전부가 아니라는 점을 미리 밝혀 둡니다. 2년이라는 짧은 시간 동안 모든 것을 판단하고 평가하기에는 제가 너무도 부족하고 게을렀음 또한 고백합니다.

그러나 사람은 말로 표현한 뒤에야 비로소 자신이 무슨 생각을 하고 있었는지 알게 된다고 합니다. 해서 적어 보았습니다. 특별하지 않았던 저의 다낭살이. 낯설었지만 결국은 일상이 돼 버린 순간들. 스물일곱에서 스물아홉까지의 시간. 봉사자이자 한국어 선생님, 외국인 그리고 이방인으로 살았던 2년의 삶이 어떠했는지를…. 특별하지 않았던, 그러나 특별하게 기억될 저의 일상을.

베트남이 이런 곳이었나.
처음 도착한 이곳은
딱히 이국적으로 느껴지지도 않고
그렇다고 정겹지도 않았다.

첫 번째,

그해 · 여름

2018년 여름

죽였다. 이것도 생명인데 아무렇지 않게 죽여 버렸구나. 갑자기 울음이 터져 나왔다. 죽은 바퀴벌레를 앞에 두고 울다니, 뭐하는 거냐 진짜.

개강을 앞둔 여름이었다. 피곤한 몸을 이끌고 학교에 갔더니 학생이 달랑 한 명 앉아 있었다. 계절학기가 끝나서 다들 집으로 돌아간 모양이었다. 아무리 무료로 진행하는 수업이라 해도 그렇지, 안 나올 때는 미리 연락 좀 해주지….

반복되는 일에 기운이 쭉 빠졌다. 서운하다. 이렇게 말 한마디 없이 안 나올 때는 그 예쁘던 학생들도 얄밉고 싫어진다.

아무도 오지 않는 빈 강의실에서 혼자 자리만 지키다 나온 적도 있었다. 그럴 때마다 주위에서 '방학인데 여행 안 가?' '그냥 좀 쉬지' 했던 말들이 떠올랐다. 누가 시킨 것도 아닌데 왜 나는 그만두지 못할까. 수업을 그냥 접을까 싶기도 했지만 꼬박꼬박 나오는 몇 명의 학생들을 보면 차마 그럴 수가 없었다.

자꾸만 불면의 밤이 길어졌다. 무력감에 하염없이 누워 있다가 물이나 마실 생각에 불을 켰다.

…물은 마시지도 못했다. 바퀴벌레 한 마리가 빨빨거리며 싱크대 위를 배회하고 있었기 때문이다. 얼마나 큰지 굵기도 길이도 엄지손가락만 했다. 이곳 바퀴벌레가 유독 크고 잘 날아다니는 데다 실수로 밟기라도 하면 "와그작" 소리가 날 정도로 딱딱하다는 것은 잘 알고 있었다. 하지만 그런 건 길바닥이나 식당에만 사는 줄 알았다.

얼른 전기 파리채를 집어 들었다. 바퀴벌레를 툭 건드니 바닥에 떨어졌다. 하얀 바닥에 덩그러니 놓인 고동색 껍데기. 나의 갑작스러운 습격에 놀랐는지 바퀴벌레는 잠시 가만히 멈춰 있었다. 그러다 이내 잽싸게 움직이기 시작했다. 이번엔 내가 놀랐다.

두꺼운 등 껍데기 부분은 아무리 지져도 효과가 없어서 바퀴벌레 몸을 뒤집어 배 부분을 태웠다. 한참을 타닥거린 후 정말 죽은 게 맞는지 몇 번이나 확인했다. 죽은 줄 알고 전기 파리채를 뗐다가 갑자기 도망가서 식겁한 적이 있었기 때문이다. 초대받지 못한 침입자는 한참을 반항하다 단백질 타는 냄새를 남기고 떠났다. 모기나 작은 벌레를 잡을 때는 나지 않는 냄새였다.

확실히 죽은 걸 확인하고 나자 긴장이 탁 풀렸다. 딱히 벌레를 무서워하는 편은 아니지만 한밤중에 벌어진 갑작스러운 소동에 맥이 풀리는 느낌이었다. 이제 이걸 휴지로 싸서 변기에 넣고 물을 내려야 하는데, 확 그래야 하는데, 그럴 수가 없었다. 왠지 눈물이 날 것 같았다. 그리고 이내 눈물이 쏟아졌다.

'내가 무슨 부귀영화를 누리자고 여기까지 와서….'

처음으로 한국이 그리워졌다.

살다 보면 나 자신도 알지 못했던 나의 또 다른 면을 발견할 때가 있다. 나는 내가 어디서든 잘 자고 잘 지내는 사람인 줄 알았다. 베트남에서 바퀴벌레나 쥐·도마뱀을 보고 소스라치게 놀란 적도 없었다. 평소 같았으면 간단히 처리했을 바퀴벌레 때문에 눈물을 다 흘리다니…. 나조차도 당황스러웠다.

하지만 종종 그럴 때가 있다. 평소에는 괜찮던 것들이 갑자기 스트레스로 다가올 때가, 별 것 아닌 일에도 짜증이 나고 눈물이 날 때가….

오늘은 바퀴벌레의 등장이 빌미가 돼 그동안 쌓인 감정이 폭발하고 말았다. 이제 더는 빵빵대는 오토바이 경적이나 끊이지 않는 공사 소음을 듣고 싶지 않다. 베트남 사람들과 기분 좋게 이야기하거나 인사할 기분도 나지 않는다.

그동안 괜찮은 척했지만 이제는 완전히 질려 버린 게 아닐까? 이 나라의 환경도, 낯선 문화도, 강의실에 오지 않는 학생들을 기약 없이 기다려야 하는 것도, 날마다 내가 만나는 사람들에게 실망하는 것도…. 이 모든 것에 신물이 난다.

사실 답은 정해져 있었다. 상처받지 않으려면 그냥 지나치면 된다. 사랑을 주지 않고 깊은 관계를 맺지 않으면 된다. 기대하지 않고 포기하면 쉽다. '그 사람들? 아유, 원래 그래' 하고 생각하면 마음 편한데 그게 싫어서 버둥거렸다. 기대가 깨질 때마다 실망감은 배가됐다.

만약 내가 좀 더 착한 사람이었다면 이런 일로 고민하거나 성내지 않았을지도 모른다. 하지만 나는 그저 그런 스물여덟. 화가 많고 감정

조절이 어려운 평범한 사람이다. 그래서 마음속에 차곡차곡 쌓인 화가 눈물이 돼 터지고 말았다.

가만, 나 여기서 지금 뭐하는 거지?

2017년 여름

후덥지근한 6월, KOICA 봉사단 116기의 국내 교육이 한창이었다. 파견국은 베트남. 합격 통지서에 '베트남'이라는 세 글자가 보였을 때, 이 낯선 나라가 문득 친근하게 느껴졌다.

KOICA 해외봉사단원에 지원하면 원하는 파견국을 3지망까지 쓸 수 있다. 하지만 면접 때는 지원자들 모두 "원하지 않는 곳으로 파견되더라도 갈 것이냐"라는 질문을 받는다. 내 대답은 "네"였다. 나는 "본래 봉사라는 것이 내가 원하는 곳에 가서 내가 계획한 활동을 하는 것이 아니라 도움이 필요한 사람에게 가서 그들이 원하는 일을 하는 것이니 어디든 가겠다"고 답했다.

사전에 준비한 답변은 아니었다. 그저 좋은 점수를 받고 싶은 마음에 순간적으로 튀어나온 말인지도 몰랐다. 그러나 면접을 마치고 내려오는 길에 홀로 그 말을 곱씹다 보니 KOICA에 지원하며 복잡했던 마음이 정리되는 것 같았다.

살면서 한 번쯤은 장기간 봉사활동을 해 보고 싶었다. 원래는 대학 졸업과 동시에 봉사활동을 다녀올 계획이었지만, 다른 우선순위에 밀려 취업을 먼저 했다.

그렇게 한번 직장생활을 시작하고 나니 해외봉사를 한다는 게 두려워졌다. 2년의 기회비용을 포기할 만큼 가치 있는 선택인지 확신이 서지 않았기 때문이다. 그래도 오랫동안 바라던 일을 못 하고 나이 들면 미련이 남아서 언젠가는 돌고 돌아 다시 도전할 것 같았다. 혹여 다녀와서 내가 후회한다고 하더라도, 차라리 일찍 경험하고 일찍 후회하는 게 낫지 않을까? 결국 나는 해외봉사단 지원을 결심했다. 후회할지 안 할지는 직접 가서 경험해 보면 알게 되리라 생각하며….

면접에서 '파견국이 어디든 가겠다'고 대답했기 때문일까. 나는 지원 당시 파견 국가 리스트에도 없었던 베트남에 배정됐다. 이게 웬 시험이란 말인가. 당찼던 나의 대답은 진심인지 허세인지 밝혀질 운명에 처하고 말았다.

그렇게 나는 KOICA 봉사단원이 됐고, 국내 교육원에 입소했다.

저마다 부푼 마음으로 모였지만 봉사단원 모두가 테레사 수녀나

이태석 신부 같은 마음으로 지원한 것은 아니었다. 은퇴 후 집에만 있기 심심해서, 해외에서 한번 살아 보고 싶어서, 외국어를 배우기 위해서, 일하다 지겨워져서, 경력으로 인정해 준다기에…. 우리는 마음 한편에 저마다의 개인적인 욕심을 담고서 찾아온 사람들이었다.

그걸 알면서도 KOICA는 왜 우리 같은 사람들을 해외로 파견하는 걸까? 국제개발협력에 대한 국민의 관심을 높이기 위해서다. '경험'의 힘은 크다. 해외봉사를 다녀온 뒤 관련 분야에 꾸준히 관심을 갖는 경우도 많고, 더 나아가 이 일을 직업으로 삼는 사람들도 많다고 한다. 또 해외봉사를 한 후 자신의 경험을 주변 사람들에게 알리는 과정에서 자연스러운 홍보 효과도 얻을 수 있다. 단원들 입장에서는 봉사활동을 하는 동시에 해외생활을 통해 얻고자 한 개인적 목적을 이루고, 평소에는 할 수 없는 경험들도 할 수 있어 일석이조다. 그러니 단원들은 봉사자인 동시에 새로운 기회를 부여받은 '수혜자'라고도 할 수 있다.

봉사단원이 돼 누리는 첫 번째 혜택, 물 좋고 공기 좋은 강원도 영월에서 받는 KOICA 국내 교육이 시작됐다.

교육원 일상

교육원에서의 하루는 길고도 짧다. 오후 대여섯 시면 강의가 끝나고 그 이후의 시간은 얼마든지 자유롭게 보낼 수 있다. 봉사자들은 여가시간에 저마다 운동도 하고 산책길을 따라 걷기도 한다. 이곳에서 내가 유난히 좋아하는 시간은 밤이다. 6월 중순이라 습기 머금은 밤을 만나기도 하지만 그 불쾌함은 곧 재잘거림에 묻히곤 한다. 운동을 하러 나갔다가도 다른 단원들과 대화하느라 발걸음은 한없이 느려진다.

각자 살아온 삶이 다르고, 파견 분야가 같거나 다른 만큼 할 얘기가 많다. 일상 속에서는 내가 몸담고 있는 분야의 사람들만 만나게 되고, 욕심내서 그 밖의 일들에 관심을 갖지 않으면 내 세상에 갇히는 기분이 들곤 했다. 그런데 교육원에서는 다양한 분야의 사람들을 만나 이야기를 나눌 수 있었고, 그러다 보면 이 세상이 얼마나 넓은지 다시금 느낄 수 있었다.

우리의 대화가 '그동안 무얼 하고 살았느냐'보다 '앞으로 어떻게 살 것인가'에 초점이 맞춰지는 것은 파견이 끝난 후 이어질 삶이 궁금하기 때문일 것이다. 단원들 중 누군가는 활동 기간을 연장하거나 귀국 후 재지원을 할 것이고, 또 누군가는 가정으로 돌아가 지난 추억을 곱씹으며 은퇴 후의 삶을 즐길 것이다. 다시 먹고살 걱정을 하며 취업과 앞으로의 진로를 고민해야 할 이들도 있다. 대책을 미리 세워둔 사람도 있지만, 그렇지 않은 사람들은 꽤 오랫동안 방황하게 될지도 모른다.

그러나 이런 고민은 각자의 몫으로 남겨 두기로 한다. 우리는 서로에게 불필요한 조언을 건네는 대신 앞으로 만나게 될 색다른 시간들을 상상하며 전략을 짜 나가고 있다. 우리가 앞둔 여행은 한두 달 하고 마는 것도 아니고, 누군가와 동행할 수 있는 것도 아니니 나름의 준비와 각오가 필요하다. 무려 2년. 700일을 넘게 홀로 살아가야 한다. 언어는 물론 문화도, 생활 방식도 다른 곳에서 홀로 장을 보고 밥을 해 먹으며 살아간다는 것은 쉬운 일이 아니다. 게다가 열심히 하든 안 하든 해외에서 주어진 임무를 수행한다는 것도 부담이 될 터. 기대가 큰 만큼 걱정도 크다.

해외에 나간다고 해서 사회생활이 끝나는 것도 아니다. 봉사활동이라지만 한 기관에 소속돼 일하다 보면 그곳의 규칙을 따라야 할 테고, 크고 작은 인간관계의 어려움도 발생할 것이다.

이 모든 것을 모르고 가는 것은 아니다. 다만 나중에 '이럴 줄 알았으면 안 왔을 거다' 하는 마음만은 들지 않길 바랄 뿐.

베트남의 첫인상

'베트남이 이런 곳이었나?'

처음 도착한 이곳은 딱히 이국적으로 느껴지지도 않고 그렇다고 정겹지도 않았다. 어딜 가나 오토바이가 너무 많고, 여기저기 쉴 새 없이 뿜어져 나오는 매연 탓에 정신이 없다. 한마디로 혼을 쏙 빼놓는 곳이다.

기대했던 파란 하늘은 간데없고 시야를 가로막는 고층 건물과 프랜차이즈 간판들만 눈에 들어왔다. 분명 비행기를 타고 왔는데 한국의 어느 낯선 도시에 불시착한 듯했다.

KOICA 베트남 사무소가 위치한 하노이는 정말 없는 게 없는 곳이다. 내가 한국에서 기를 쓰고 챙겨 온 물건들이 마트에 쭉 진열돼 있는

다낭시내

걸 보며 '베트남을 너무 몰랐구나' 싶었다. 누군가 얘기해 준 대로, 여긴 돈만 있으면 뭐든 살 수 있는 나라였다.

그래서 어떤 이는 봉사하기에 더욱 힘든 곳이라고도 했다. 환경이 좋다 보니 마음이 딴 데로 새기 쉽다고…. 유혹이 많은 것도 문제지만 자신이 할 역할을 찾지 못해 대충 시간만 때우다 돌아가는 단원들도 종종 있다고 했다. 나름대로 잘사는 것 같은 베트남 사람들을 보며 '내가 이곳에 온 이유가 무엇일까' '내가 해야 할 역할이 무엇일까' 하는 고민에 빠진다는 것이다.

문득 내가 활동할 임지는 어떤 모습일지 궁금해졌다. 내가 다낭으로 파견된다는 소식이 전해지자 동기 단원들은 축하의 말을 건네며 부러워했다. 여행지로 인기가 높은 곳에서 2년이나 살게 됐으니 감사한 일이지만, 나는 부족한 것 하나 없는 대도시에서 과연 봉사자의 마음을 잘 지켜 나갈 수 있을지 걱정이 앞선다.

이제 호찌민에 내려가 베트남어 교육을 듣게 된다. 그리고 6주 후면 임지 부임이다. 다낭은 어떨까? 하노이와 다를까?

뜻밖의 사고

길을 건너다 오토바이에 부딪혔다. 횡단보도 위, 보행자 신호는 초록불 상태였다. "퍽" 소리가 나며 몸이 뒤로 돌아가고, 손에 들고 있던 콜라 캔이 터졌다. 크게 다친 건 아니었지만 너무 당황스럽고 어이가 없었다. 나는 그 자리에 그대로 서서 나를 치고 간 오토바이 뒤꽁무니만 멍하니 바라보았다. 운전자는 잠깐 멈춰서 나를 돌아보더니 다시 제 갈 길을 갔다.

'아니 뭐 저런 게 다 있어!'

화나는 건 둘째 치고 일단 놀란 마음이 진정되지 않았다. 결국 길을 건너지 못하고 원래 서 있던 쪽으로 뒷걸음질 쳐서 올라왔다. 다시 길을 건널 용기가 나지 않았다.

베트남에서 가장 적응되지 않는 것이 바로 '길 건너기'다. 길 건너는 게 무서워서 어딜 가든 웬만하면 택시를 이용하고, 길을 건너야 할 때면 세월아 네월아 하며 기다리기도 한다. 횡단보도에서는 신호등이 초록불로 바뀐 후에도 좌우를 살핀 후 발걸음을 뗀다. 그렇게나 조심했는데도 기어이 일이 터지고 말았다.

줄줄 새는 콜라 캔을 들고 한참을 서 있었다. 놀란 마음이 가라앉자 이내 짜증이 났다. 호찌민에 온 지 고작 일주일 만에 일어난 일이었다. 제대로 적응하기도 전에 이런 일이 생기니 이곳에 정이 뚝 떨어지는 느낌이었다.

여기서 2년을 어떻게 보내야 할까….
감정이 잘 정리되지 않았다.

024

•

부적응

도로에서는 자동차와 오토바이 부대가 끊임없이 꼬리에 꼬리를 물고, 밤늦게까지 창문 너머로 왁자지껄한 사람들 소리가 들려온다. 그럴 때면 이곳에 대한 미운 감정이 고개를 들곤 한다. 우리나라도 살다 보면 이것저것 마음에 안 들고 화날 때가 많은데, 하물며 낯선 타국은 오죽할까…. 사실 나를 불편하게 하는 것은 몇몇 사람들일 뿐인데 마치 그 사람들이 베트남 전체를 대표하는 것처럼 느껴진다. 아니라는 걸 알면서도 마음을 다잡기가 어렵다.

'다들 베트남으로 파견된 나를 부러워하는데, 정작 나는 왜 이렇게 우울한 걸까? 지원 시기를 늦춰 다른 나라에 갔더라면, 오토바이 사고가 안 났더라면, 그랬다면 좀 더 행복했을까?'

혼자 있는 시간이 길어지니 별별 생각이 다 든다. 감정의 수렁에 빠져 홀로 허우적대는 기분이다.

요즘 들어 이상한 꿈을 자주 꾼다. 꿈속에서 몇 번이고 토하질 않나, 갑자기 지나가던 베트남 사람에게 위협을 당하질 않나. 잠에서 깨어 보면 온몸이 굳어 욱신거린다. 도대체 무엇에 대한 긴장인지 모르겠다. 타지에서 살아간다는 것 자체가 큰 부담이었던 걸까. 해외생활을 좋아한다고 생각했는데 어쩌면 나는 내가 생각했던 것과 달리 변화를 싫어하는 사람인지도 모른다.

지난 사고 이후로 오토바이만 보면 무섭고 불쾌했다. 길을 걷다 인도로 불쑥 올라오는 오토바이를 보면 욕이 나왔고, 옆에 서 있는 경찰은 저런 사람 안 잡고 대체 뭘 하나 싶어 열불이 났다. 오토바이 천지인 도로를 건너기 싫어서 점심시간 내내 허기를 참다가 수업이 끝나자마자 택시를 타고 식당에 가기도 했다.

내가 이렇게 겁 많은 사람이었나 싶어 의아했다. 낯선 내 모습에 놀라면서도 그냥 인정하기로 했다. 사람마다 못 견디게 싫은 한두 가지는 있게 마련이고, 지금의 나에겐 그게 오토바이 부대인 거니까. 언젠가는 이 오토바이도 '싫지만 참을 만한 것'이 돼 추억의 한 편을 차지하기를 소망해 본다.

좋은 선생님이 된다는 것

OJT가 시작됐다. 일주일 동안 내가 파견될 지역에 가서 기관을 방문하고 앞으로 살 집을 구하는 시간이다. 처음 임지가 '다낭'이라는 소식을 들었을 때 나는 그다지 기쁘지도 들뜨지도 않았다. 그저 '베트남 학생들은 공부 열심히 한다'는 말에 바짝 긴장했을 뿐이다.

내가 활동할 기관은 다낭 공립 외국어 대학교(다낭외대)의 한국어학과. 이 학교에 한국어학과가 처음 생겼을 때부터 KOICA는 10년 넘게 이곳에 단원을 파견해 왔다. 다낭외대 강사들은 한국인의 등장에도 딱히 놀라거나 궁금해하지 않았다. 이미 다낭에는 관광객뿐만 아니라 거주하는 한국인이 많았기 때문이다.

업무 협의는 짧게 끝났다. KOICA 단원이 오래 활동해 온 기관이라 단원에게 요구하는 바가 명확했다. 내가 할 일은 매 학기 기관의 필요에 따라 배정하는 수업을 맡는 것. 보통은 개강 일정에 맞춰 활동을 시작하지만 이번에는 출산을 앞둔 강사가 있어서 부임하자마자 바로 강의를 이어받기로 했다.

OJT 기간 동안 다낭 안내를 도와준 학생들에게 졸업 후 하고 싶은 일을 물어보았다. 망설임 없이 '취업'이라는 대답이 돌아왔다. "한국계 회사에서 일하면 월급을 많이 받을 수 있기 때문에 부모님이 권유해서 한국어학과에 진학했다"고도 말했다. 다낭외대 학생들은 '취업'과 '유학'이라는 분명한 목적을 갖고 한국어를 공부하고 있었다.

'교육봉사'라는 말이 멋져 보이기도 하지만, 결국 내 수업의 궁극적인 목적은 학생들이 월급을 많이 주는 회사에 들어갈 수 있게 도와주는 것, 다시 말해 한국어를 배워 취업 경쟁에서 이길 수 있게 도와주는 것이다. 세속적인 경쟁이 싫어 봉사와 교육을 택했는데, 이 또한 경쟁의 한가운데에 서 있는 일이라니 좀 아이러니했다. 내가 너무 이상적이었던 걸까?

사실 한국 대학생들에게 물어봐도 대답은 별반 다르지 않을 것이다. 요즘 시대에 경쟁 없는 곳은 없고, 누구나 풍족하고 편안한 삶을 살기를 꿈꾼다. 내가 봉사활동을 하러 온 베트남도 결국은 평범한 사람이 사는 곳이다. 나는 봉사활동의 최종 목표에 '수혜자의 소득 증대'가 있다는 것을 간과했던 것이다.

한국어 강사로서 베트남 대학생들과 만난다고 생각하니 자꾸만 나의 대학 시절이 떠올랐다. 내가 다니던 학교에도 원어민 교수님들이 있었고, 나는 대개 그분들을 좋아했다. 그분들은 언제나 열정 가득한 모습으로 강의에 임하며 우리가 마음껏 꿈꿀 수 있도록, 그 꿈을 이루는 데 필요한 실력을 갖출 수 있도록 힘써 주셨다. 나는 교수님들이 좋아 더 열심히 공부했고 그분들의 나라에 관심을 가졌다. 내가 배운 것은 그 나라의 언어뿐만 아니라 언어가 내포하고 있는 한 사회의 문화이자 가치이기도 했다.

나는 옛 교수님들의 모습을 떠올리며 지금까지 베트남에서 보낸 지난 시간을 반성했다. 방문객이 아닌 거주자가 되기 위해 이곳에 왔으면서도, 마음을 꽁꽁 닫은 채 이곳을 받아들이려 하지 않았던 날들이 후회됐다. 그러면서도 임지에 가서 활동을 시작하면 베트남을 이해하게 될 거라고만 생각했다. 하지만 그건 착각이었다. 미루고 미루다 실패하는 다이어트처럼 '나중에'로 미뤄둔 마음은 무력감만 주었다.

물론 아무리 노력해도 내가 완전히 베트남 사람처럼 바뀔 수는 없을 것이다. 그들과 비슷한 감성을 가질 수도, 낯선 문화를 온전히 이해할 수도 없다.

이곳 사람들과 아무리 친해지더라도 내가 곧 떠날 사람이라는 것과 근 30년 가까이 다른 문화에서 살다 온 외국인이라는 사실은 변하지 않는다. 이곳 사람들에게도 나는 시한부 인연인 것이다. 그러나 마음의 문을 닫아두는 것과 열어두는 것은 천지 차이다.

다낭에서 만난 학생들은 거침없이 내게 개구리죽을 먹이고, 나를 오토바이 뒷자리에 태웠다. 난생처음 타 본 오토바이가 어찌나 무섭던지, 내릴 때쯤엔 꽉 붙든 학생의 티셔츠가 내 땀으로 흠뻑 젖어 있었다. 민망해하는 내게 괜찮다며 웃어 보이던 얼굴…. 그 후 오토바이로 이동할 때마다 “선생님 괜찮아요?” 하고 연신 물어봐 주는 마음이 고마웠다.

OJT 마지막 날, 학생들과 야시장에 갔다가 ‘쪼리’ 한 켤레를 선물 받았다. 그때 쪼리를 처음 신어 본 나는 발가락 사이가 다 까져 아픈 발을 질질 끌며 숙소로 돌아왔다. 그날 이후 그걸 차마 다시 신지 못하고 방 한편에 고이 모셔두고만 있다. 가지런히 놓인 꽃무늬 쪼리를 보면 ‘무엇을 고를까’ 고민하느라 반짝이던 학생들의 눈망울이 생각난다. 다낭에 가면 신발장을 사서 맨 위 칸에 두어야겠다고 마음먹는다.

나는 아직도 베트남어가 낯설다. 여전히 길 건너는 게 무섭고 자주 우울감에 빠진다. 그래도 이 나라를 한 번 사랑해 보려고 한다. 단돈 2000원짜리 슬리퍼 때문이 아니라, 그걸 건네준 이의 마음이 고마워서다.

그래.

이런 날도, 이런 때도 있는 거다!

두 번째,

출근하는 삶

집들이, 소통의 시작

새소리가 아닌 공사장 망치질 소리가 가득한 이곳. 내가 꿈꿨던 임지의 모습은 아니지만, 나름대로 정이 들고 있다.

다낭에 온 지 3주가 지났다. 짐 정리를 마친 기념으로 기관 동료들을 초대해 집들이를 하기로 했다. 동료 강사 한 분이 음식 준비를 도와주신다기에 오토바이를 타고 함께 마트에 갔다. 카트에 한가득 담아 계산하니 우리 돈 7만 원. 봉사단원 한 달 생활비의 10분의 1이 넘는 거금이 들었다. 너무 오버했나 싶었지만 동료들이 다 같이 모일 기회가 흔치 않은 만큼 제대로 대접하고 싶었다.

문제는 장 본 것을 오토바이에 실어야 하는데 양이 너무 많아서 쉽지 않다는 점이었다. 고민 끝에 우리는 짐을 박스에 담아, 앞좌석과 뒷좌석 사이에 세로로 세워서 신기로 했다. 뒷자리에 탄 내가 한 손으로는 손잡이를 잡고 다른 한 손으로 상자를 붙들었다. 나름 안정적인 자세였지만 떨어지지 않으려고 꽤나 긴장했던지 집에 돌아오니 녹초가 돼 버렸다. 몰려오는 졸음에 어쩔 수 없이 잠시 눈을 붙이고 일어났다. 그러고 나니 요리할 시간이 부족해 마음이 급했다.

정신없이 칼질을 하는데 휴대폰이 울렸다. 요리하느라 바빠서 무시했더니 이번엔 누군가 방문을 두드려댔다. 설마 하고 문을 열어 보니 또 다른 동료 강사였다. 내가 음식 준비로 바쁠 것 같아 일손을 보태러 왔다고 했다. 그분에게 채소 손질을 부탁하고 부지런히 김밥을 말고 있으려니 얼마 지나지 않아 다른 강사들도 속속 도착했다. 다들 왜 이렇게 일찍 왔냐고 물으니 "혼자 준비하기에는 힘들 것 같아 도와주러 왔다"고들 했다. 그 마음이 고마웠다.

동료들과 힘을 모아 복작복작 준비하니 금세 요리가 완성됐다. 우리는 불판에 고기와 베트남 채소를 구워 먹으며 즐거운 시간을 보냈다. 학과 강사들이 다 같이 모인 건 오랜만이라고 했다. 준비하는 과정이 힘들긴 했어도 이렇게 자리를 마련하길 잘했다는 생각이 들었다.

그 후 동료들과의 모임은 계속 이어졌다. 굳이 내가 초대하지 않아도 다른 강사들이 먼저 "연말인데 우리 뭐 없어요? 고기 파티 할까요?" 하며 날을 잡곤 했다. 동료들과 친해지니 학교에서도 많은 것을 함께하게 됐다. 후문 앞 식당에서 늦은 아침식사를 같이하고, 학과 사무실에서 점심을 시켜 먹기도 했다.

그간 기관 사정도 잘 모르고 학사 일정 같은 중요한 사항들도 제때 알 수 없어 답답할 때가 많았는데, 동료들과 어울리다 보니 그런 것들을 따로 확인하지 않아도 자연스레 알 수 있었다. 소소한 불편함이 쌓이면 불만으로 이어지기 쉬운데, 그 전에 해결돼 감사할 따름이었다. 동료들 덕분에 학교가 좀 더 친숙한 공간으로 다가왔다.

내일 뭘 입지?

수업이 있는 날에는 복장부터 점검하게 된다. 날씨가 오락가락한 요즘은 전날 옷을 미리 챙겨 놓아도 당일에 바꿔 입기가 일쑤. 파견된 기관이 대학교인 것을 고려해 나름 출근복을 많이 챙겨 왔는데도 옷장 앞에 서면 늘 고민에 빠진다.

가장 아쉬운 건 향수를 챙기지 않은 일이다. 모기에 물리는 것을 방지하려면 향수 사용은 자제해야 한다고 해서 하나도 가져오지 않았다. 그런데 막상 지내다 보니 그렇게 아쉬울 수가 없다. 교실에 냉방시설이 잘 돼 있지 않아 몇 시간씩 강의하다 보면 땀이 난다. 그런 상태로 학생들과 가까이에서 수업하며 이야기를 해야 하니 냄새가 신경 쓰였다. 결국 향수를 새로 구입했다.

내가 이렇게 외모에 신경 쓰는 것은 중학교 시절 만났던 한 원어민 강사 때문이다. 그분은 한 달에 한 번씩 학교에 찾아와 영어를 가르쳤는데, 날이 추우나 더우나 늘 비슷한 옷에 어그 부츠를 신었다. 그게 하도 이상해 보여 담임 선생님께 왜 그런지 여쭤봤더니, 선생님은 조금 당황하신 얼굴로 "돈을 아껴 다른 나라로 여행 다니는 강사들이 종종 있는데, 이분도 그런 것 같다"고 얘기하셨다.

그때 나는 큰 충격을 받았다. 수업도 설렁설렁하는 사람이 그런 이유로 학교에 옷도 대충 입고 오다니…. 그래도 자신이 경제 활동을 하는 나라에서 최소한의 예의는 지켜야 하는 게 아닌가 싶어 화가 났고, 우리나라의 위상이 이 정도밖에 안 되나 싶어 자존심도 상했다.

그래서 다짐했다. 나는 외국인 봉사자라는 이유로 KOICA 단체티만 입고 다니지는 않겠다고…. 평소야 내가 어떻게 입든 춥거나 덥지만 않으면 되지만, 수업할 때만은 여느 강사들처럼 예쁘고 깔끔한 옷을 챙겨 입겠다고….

하지만 카디건으로 변화를 주거나 상하의를 바꿔 입기도 여러 번. 내가 옷이 없다는 사실을 실감하고 있다. 옷장을 뒤적이며 '냉장고 바지 대신 블라우스 하나 더 넣어 올걸' 하는 아쉬움을 느낀다. 개강 후 첫 고민이 '내일은 뭘 입지?'가 될 줄은 정말 몰랐다.

038

내 맘 같지 않을 때

구름이 잔뜩 낀 하늘, 천장에 붙은 팬이 달달거리며 돌아가는 후덥지근한 교실, 가장 졸리는 12시 30분 수업….

수업하는 내내 진땀이 났다. 티를 내지 않으려고 했지만 칠판에 글씨 쓴다고 뒤돌아선 틈에 한숨을 푹푹 쉬었다. 오늘 수업은 최악이다.

평소에는 "읽어 볼 사람?" 하면 손도 번쩍번쩍 잘 들던 녀석들이 오늘은 왠지 모르게 나사가 풀린 상태였다. 준비해 간 질문을 던져도 별 반응이 없어서 그냥 넘어가야 했다. 평소보다 더 공들여 준비한 수업이라 속이 상했다. 같은 강의 교안인데 어제 다른 반에서 수업했을 때와는 분위기가 너무 달랐다.

겨우 수업을 마치고 나니 진이 빠졌다. 학과 사무실로 내려갈 생각도 못 하고 텅 빈 강의실에 덩그러니 앉아 있었다. 더운 바람이 얼굴을 스쳤다. '동태눈'을 하고 있던 학생들 모습이 떠올랐다.

내게는 학생들을 집중시킬 만한 카리스마나 위트가 없는 걸까? 그간 계속 수업 평가를 좋게 받아와서 내심 우쭐했나 보다. 하지만 이제 강사로서의 자질을 의심하고 있다. 이렇게 극단적일 수가!

머리를 식히며 한참 앉아 있으니 마음이 한결 진정됐다. 그래 이런 날도 있는 거라고, 나도 대학생 때 그러지 않았느냐고 스스로를 다독였다. 정말 피곤한 날에는 그렇게 좋아하는 교수님의 강의 시간에도 눈이 감겼다. 봄과 가을, 때로는 너무 추워서 혹은 더워서 집중하지 못할 때도 많았다. 나 역시 그런 학생이었으면서 제자들에게만 다른 모습을 바라는 것은 너무 큰 욕심이다.

하지만 기운 빠지는 일은 또 일어났다. 오후에 토픽(한국어능력시험) 동아리를 위해 강의실 열쇠를 빌리려는데 갑자기 담당 직원이 다른 곳으로 가라고 했다. 지난주에도 그랬다. 미리 공문까지 올려 신청했는데 번번이 이러는 태도에 화딱지가 났다. 그럼 미리 알려주기라도 해야지. 꼭 이렇게 수업 직전에, 그것도 내가 열쇠를 빌리러 가야만 말해 주는 것에 신경질이 났다. 내가 오늘 하루 교직원 휴게실을 몇 번이나 들락거렸는데!

나는 예측할 수 없는 상황을 싫어한다. 급하게 약속을 잡는 것도, 일이 중간에 틀어지는 것도 내겐 큰 스트레스다. 그런데 베트남에서는 이런 일이 다반사. 내 맘 같지 않은 날들의 연속이다.

…하는 수 없이 나는 학생들에게 급히 강의실 변경 메일을 보냈다.

그 때문만은 아니지만, 초반에 70명 넘는 학생들로 시작된 토픽 동아리는 점차 참석 인원이 줄더니 이제 겨우 30명을 웃도는 상태가 됐다. 당황해서 학교 선생님들에게 왜 이런가 물어보니 "원래 그렇다"는 답이 돌아왔다. 동아리는 물론 다른 기관과 협력 봉사활동을 할 때도 말없이 안 나오거나 전날에서야 못 한다고 하는 학생들이 많다고….

강의에 앞서 지난주에 내준 과제를 확인했다. 과제를 해 온 학생은 절반뿐이었다. '아니, 나 좋으라고 수업하나? 자기들 좋으라고 하는 거지' 하는 생각이 확 치밀었다. 의자에 등을 기대고 눕다시피 하며 앉아 있는 몇몇 학생이 눈에 띄었다. 수업 내용을 물어봐도 대답하지 않

다낭시내

고, 책을 읽어 보라고 해도 작은 목소리로 중얼거리는 모습을 보니 분통이 터졌다. 나는 정말 강사와 맞지 않는다. 나처럼 성질 급하고 인내심 없는 강사는 학생들을 미워하거나 들들 볶아 대기 십상이다.

시험이 코앞인데 나만 급한 건가 싶기도 하고, 나 혼자 열 내고 있는 것 같아 힘이 빠졌다. 이게 일상이다. 강의를 하다가도 몇 번이고 생각한다. '이 어이없는 상황에 그냥 허허 웃고 말까, 아니면 엄한 표정을 지을까. 보람 없이 고생만 하는데 이쯤 하고 말까 아니면 꾹 참고 더 해볼까.'

오늘도 학생들이 괘씸해서 다음 학기부터는 동아리고 뭐고 그만 때려치울까 하다 마음을 바꿨다. 그래. 이런 날도, 이런 때도 있는 거다.

우기의 다낭

첫 시험의 충격

아침 7시 30분과 9시 30분, 기말고사 감독을 하고 왔다. 학생들 이름이 길고 발음하기 어려운 탓에 출석을 부를 때는 현지 강사의 도움을 받았다. 내가 어려워하는 부분을 알아채고 "제가 같이 가 드릴게요" 하고 먼저 나서주는 다정함이 고마웠다.

시험장에 가 보니 사전 공지도 없이 강의실이 변경돼 있었다. 바뀐 곳이 어딘지 몰라 당황하다가 교학처에 연락해 새 강의실을 배정받았다. 출석과 자리 배정까지는 동료 강사가 도와주었다. 나는 시험 시작을 알린 다음 카세트 소리를 확인했다. 음량이 적당한지 학생들에게 물어보고 시험을 시작했는데, 이게 웬걸. 2번 문항부터 지지직거리더니 흡사 테이프 씹히는 소리가 났다. 카세트를 바꾸고 CD도 교체하는 사이 20분이 흘렀다. 진땀이 나기 시작했다.

학생들에게 거듭 사과한 뒤 시험을 다시 진행했다. 이제는 잘 진행되는가 싶더니 이번엔 그놈의 커닝이 말썽이었다. 한두 명도 아니고 여러 명이 줄지어 부정행위를 시도했다. 듣기 시험이라 중간에 뭐라 할 수는 없으니 눈빛으로 경고를 줬다. '안 된다'는 표시로 고개를 가로젓고 무서운 표정을 지어도 학생들은 잠시 주춤할 뿐 고개가 또 돌아갔다. 학과 사무실로 돌아가 다른 강사들에게 얘기했지만 다른 시험장 상황도 매한가지인 모양이었다.

긴장된 마음으로 다음 시험장에 들어갔다. 학생들에게 싫은 소리 하기가 싫어 부디 커닝하는 사람이 없기를 바랐다. 시험 시작 전 당부의 말까지 했다. 하지만 달라지지 않았다. 심성이 못돼서 그런 게 아니라 잘하고 싶다는 욕심이 지나쳐서 그런 것 같았다. 어쩌면 커닝 자체를 별로 나쁘게 생각하지 않는 걸지도….

그 후로도 나는 매 학기 시험 기간만 되면 부정행위 때문에 골머리를 앓았다. 그런데 이건 내가 활동한 기관에만 해당되는 얘기가 아니었다. 베트남에서 활동하는 교육 단원들 얘기를 들어보니 이곳 학생들은 어디서나, 심지어 성적에 반영되지 않는 평가에서도 커닝을 한다고 했다. 자존심이 강해 자기가 틀렸다는 걸 보여주고 싶지 않은 건지, 그저 커닝이 습관화된 건지 모르겠다고도 했다.

그래도 아닌 건 아닌 거다. 나는 시험 종료 후 학생들에게 커닝을 했는지 물어보았다. 자기 문제만 열심히 푼 학생들은 당당하게 아니라고 대답하고 그렇지 않은 학생들은 입을 꾹 다물었다. 본보기로 오늘 가장 문제가 됐던 학생 한 명을 자리에 남겼다. 다만 답을 베낀 아이가 아니라 답을 알려 준 아이를 남겼다. 커닝한 학생은 끝끝내 잡아뗄 것이 분명했기에 우선 사실을 확인하고 싶었다. 내가 본 게 맞는지, 그렇다면 앞으로 어떻게 해야 할지를….

옆자리 친구한테 답을 알려 줬느냐고 물으니 학생은 내가 보고 있어서 알려 주지 못했다고 했다. 그럼 선생님이 왜 남으라고 했겠냐고, 정말 알려 주지 않았느냐고 재차 묻자 딱 한 문제만 알려 줬다고 했다. 친구가 먼저 묻지 않았으면 알려 주지도 않았을 텐데 친한 친구라 어쩔 수 없었다며 울음을 터뜨렸다. 그 모습을 보니 나도 속이 상했다.

커닝한 학생은 다른 애들보다 나이가 많고 기가 셌다. 반면 이 학생은 수업 시간에도 말이 거의 없을 정도로 조용하고 얌전했다. 나는 지난 학기 내내 둘이 어울리는 모습을 한 번도 본 적이 없다. 정말 친한 건지 그냥 둘러대려 한 말인지 모르겠지만, 내가 뻔히 노려보는데도 친구 등쌀에 못 이겨 답을 알려 준 이 아이의 마음은 오죽했을까.

나는 그 학생에게 자신과 정답을 베낀 친구의 이름을 종이에 적으라고 했다. 오늘은 경고로 끝나지만 다음에 또 이런 일이 생기면 바로 0점 처리하겠다고 겁을 주고, 커닝을 요구하는 친구가 있으면 다음부터는 시험 전에 그 친구 옆에 앉지 않게 해 달라고 미리 요청하라고 말했다. 학생 수가 많아 자리 배치를 다 신경 쓸 수는 없지만, 이 정도는 내 선에서 할 수 있을 것이다. 이런 학생들은 그냥 방치하면 다음번에 또 피해를 본다. 안쓰러운 마음에 “울지 말고 남은 시험공부 열심히 하라”고 했더니 “네. 정말 미안해요, 선생님” 하며 폭 안겨 왔다. 잠시 당황했지만 짐짓 아이의 등을 토닥여줬다. 아직 어린 나이로, 자기도 이런 경험은 처음이라 겁먹었을 듯싶었다.

빈 강의실을 정리하고 나가는데 마음이 심란했다. 오늘 커닝한 학생은 모두 내가 한국어를 가르친 제자들이다. 함께 수업하며 정든 얼굴들이 그러고 있으니 더욱 실망스럽고 속상했다.

시간이 지나도 우울한 기분이 쉬이 나아지질 않았다. 그저 우중충한 날씨 탓이려니 하며 마음을 달랠 수밖에 없었다.

내가 원하는 수업

한국어 교육 단원으로 파견되면서 목표한 것이 있었다. 첫째는 능력 있는 강사, 동시에 강의를 재미있게 진행하는 강사가 되기로.

나는 학생들이 한국어 공부를 재미있게 느끼길 바란다. 무엇을 배우든 일단 재밌고 신이 나야 관심이 지속되기에 이것저것 구상해 보고 있다.

지난 학기에는 읽기 수업을 맡았는데 이번 학기에는 말하기 수업을 맡게 됐다. 대화문을 만들 때 인물의 이름을 인기 많은 아이돌 본명으로만 해도 학생들 얼굴에 흐뭇한 미소가 걸린다. 수업 주제와 관련된 드라마나 예능 편집 영상을 가져가면 2~3분 만에 학생들의 잠을 깨울 수 있다.

아침 7시 수업이라 대화 연습을 할 땐 잠도 깰 겸 복도로 나가 이야기를 나누게 한다. 탁 트인 공간에서 편한 자세로 얘기해서 그런지 내가 예시로 보여준 것보다 더 다양한 질문이 오간다. 잘하든 못하든 멈추지 않고 대화를 이어 나가려 노력하는 모습을 보면 그렇게 예쁘고 대견할 수가 없다.

학생들이 대화하는 모습을 종종 휴대폰으로 촬영하는데 그러면서 학생들을 좀 더 가까운 곳에서 바라보게 됐다. 수업 내내 조용하다가도 친구와 대화할 땐 자신감 넘치는 학생, 조곤조곤 얘기하면서도 상대방 말에 기분 좋은 맞장구도 칠 줄 아는 학생, 하고 싶은 말을 하기 위해 사전을 찾아가며 열심히 얘기하는 학생…. 아이들은 항상 내 예상을 뛰어넘는다. 같은 내용으로 세 학급 수업을 해도 늘 긴장되고 기대되는 이유다.

대화하는 모습을 동영상으로 남기는 이유는 학생들이 한국어로 말할 때 어떤 표정을 짓고 발음과 입 모양은 어떠한지 스스로 확인해

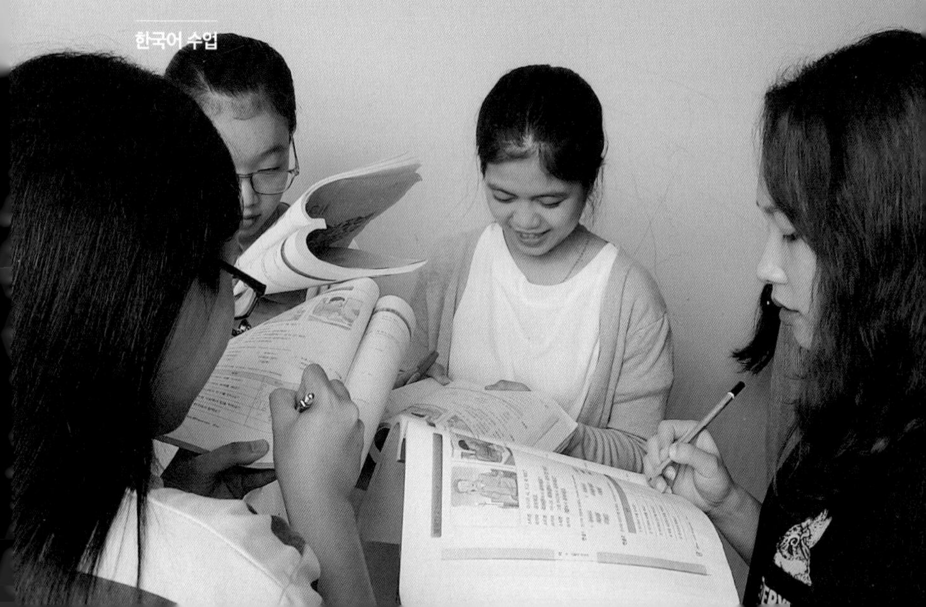
한국어 수업

보게 하려는 것이다. 영상 촬영의 용도를 미리 공지해 두면 아이들의 수줍음이 줄어든다. 얼른 자기를 찍어 달라며 나를 부르기도 하고, 연예인이 된 것처럼 카메라를 보며 장난치기도 한다. 그럼 나도 파파라치처럼 카메라를 몰래 들이대서 학생들을 놀라게 하고, 드라마 촬영하듯 이것저것 주문하기도 한다. 이렇게 촬영한 동영상은 학생들 개인 이메일로 보내거나 학급 페이스북 페이지에 올린다.

수업 중에는 늘 시간이 부족해 나중에는 셀프 촬영을 과제로 내고, 나는 목소리가 작거나 대화를 잘 이어가지 못하는 아이들을 찾아다닌다. 중간에 짝을 몇 번씩 바꾸기 때문에 차분한 아이와 활발한 아이가 만나 보기도 하고, 실력 차가 나는 학생들은 서로 가르쳐 주고 배우기도 한다. 한참을 떠들고 나면 다들 기분이 좋아져서 남은 시간에 집중도 잘하고 더 적극적인 모습을 보인다. 대화 연습 시간은 우리가 제일 좋아하는 시간이다.

050

식사합시다

새 학기가 되고 나서 부쩍 신경 쓰는 것은 체력이다. 말하기 수업을 담당하다 보니 수업이 끝날 즈음엔 목이 쉬고 다리가 붓는다. 더운 날 아침 7시부터 12시까지 내리 강의하려니 늘 힘에 부친다. 한 번은 수업하다가 머리가 핑 도는 걸 느꼈다. 위기감을 느끼고 아침밥을 챙겨 먹어야겠다고 다짐했다.

7시 수업을 하려면 적어도 5시 30분에는 일어나야 하는데, 아침까지 먹으려면 대체 몇 시에 일어나야 할까. 대체 이 나라는 왜 이렇게 일찍부터 수업을 하는 거냐고 불평을 하다가도 곧 다가올 여름날, 에어컨 없는 찜통 강의실을 생각하면 입을 다물게 된다. 낮에는 너무 덥기 때문에 그나마 시원한 아침 일찍부터 움직이는 것이다.

결국 아침을 먹기 위해 매일 새벽 5시에 일어나기로 했다. 처음엔 너무 힘들었지만 확실히 아침을 먹은 날에는 평소보다 힘이 난다. 부모님이 자녀들에게 왜 그렇게 아침 먹고 다니라고 말씀하셨는지 알 것 같다. 이제는 내가 그 입장이 돼서 아침밥 안 먹고 오는 학생들에게 잔소리를 한다. 하지만 아침 7시 수업이 힘든 건 나뿐만이 아닌 듯싶다. 10분만 일찍 일어나서 밥 먹고 오라는 말에 학생들이 "선생님, 그 시간에 더 자고 싶어요" 하며 배시시 웃는 걸 보면….

본가에서 통학하는 학생들은 부모님이 챙겨 주시겠지만 그 외의 사정은 빤하다. 자취방에 냉장고가 없는 게 다반사니 밥을 먹으려면 아침부터 요리를 하거나 사 먹어야 한다. 그나마 부지런한 아이들은 쌀국수라도 한 그릇 먹고 온다. 시간이 안 되면 길거리 음식을 사 와서 수업 전에 먹기도 한다. 이 때문에 좁은 교실이 갖가지 음식물 냄새로 가득 차지만 어쩔 수가 없다. 우기라 날마다 찬 바람이 부는 요즘, 밖에서 오들오들 떨며 빵을 삼키는 학생들을 보면 강의실 문을 미리 열어 줄 테니 들어가서 먹으라는 말이 절로 나온다.

그런 학생들을 위해 나는 소소한 간식을 준비해 간다. 수업 중 발표하는 학생들에게 초코파이나 소시지 묶음을 나눠 주고 지금 먹어도 된다고 하면 다들 너무 좋아한다. 생각해 보면 나도 학생 때 빵이나 편의점 김밥으로 아침을 때우곤 했다. 그런 내가 이제는 급하게 끼니를 때우는 아이들을 안타까워하는 입장이 됐으니, 나도 나이가 들긴 들었나 보다. 어린 학생들과 함께 지내면서 같이 어려지기는커녕 엄마가 돼 가는 기분이다.

엄마가 딸에게

우리 학생들의 효심은 엄청나다. 무엇을 주제로 대화하든 부모님 얘기가 빠지지 않는다. 한 번은 '고마운 사람에게 영상 편지 쓰기'를 과제로 내주었는데, 학부모들이 자녀 교육을 위해 얼마나 고생하고 아이들이 부모님을 얼마나 그리워하는지 알 수 있었다.

나는 수업 시간을 활용해 학생들에게 부모님과 연락할 기회를 주고 싶었다. 만약 그냥 연락하라고 하면 부끄럽다고 안 할 것 같아서, 분위기를 잡기 위한 몇 가지 활동을 준비했다. 우리 학생들은 뭐 그리 부끄러운 게 많은지 뭐만 시켰다 하면 "부끄러워요!" 하고 내뺀다. 베트남 중부 사람들의 특성인지 아니면 소녀 특유의 감성인진 몰라도 그 모습이 참 귀엽다. 가끔은 답답하지만….

혹시 부모님이 안 계시거나 힘든 가정환경에서 자란 학생이 있을까 싶어 걱정되기도 했지만 오늘 수업 목표는 '감사 표현'이니 일단 진행해 보기로 했다. 대신 세상에는 다양한 형태의 가족이 있다는 것을 언급하고, 부모님 대신 자신에게 도움을 준 어른이나 친지를 생각해도 좋다고 설명했다.

학생들에게 몇 가지 질문을 던지며 부모로 살아간다는 것이 어떤 느낌일지 물었다. 수십 가지 어려움을 몇 가지 기쁨으로 덮으며 살아오신 부모님. 부모가 되면 무엇이 좋고 무엇이 힘들지에 대해서 의견을 나누다 보니 자연스레 반성하는 분위기가 됐다.

이어서 나는 아이들에게 <엄마가 딸에게>라는 노래를 들려주었다. 엄마가 딸에게 해주고픈 말을 가사에 담은 노래라 베트남어 자막이 있는 영상을 준비해 갔다. 노래를 틀자 중반부터 훌쩍이는 소리가 들렸다. 노래를 다 듣고 난 뒤에는 다들 벌게진 눈을 하고 있어 강의실 불 켜기가 어색했다.

분위기를 바꿔 가족들에게 사랑한다는 말을 해 봤느냐고 물어보니 다들 고개를 내저었다. 어릴 때는 많이 했는데, 나이가 들면서부터는 부끄러워 못 했다는 것이다. 나는 과장된 표정과 몸짓으로 황당하다는 반응을 해 보이고선 지금 당장 부모님께 연락드려 보자고 했다. 전화든 문자든 상관없지만 "고맙고 사랑한다"는 말은 꼭 해야 한다는 미션을 주었다. 일부러 배경 음악도 크게 틀고 전화요금이 없어서 못 하겠다는 학생들에게는 내 휴대폰까지 빌려주며 미션 수행을 독려했다.

처음엔 머뭇거리던 학생들도 내가 진심인 것을 알고는 슬슬 부모님께 연락을 드리기 시작했다. 통화하다 갑자기 눈물을 쏟는 아이도 있고, 교실 밖으로 나가 한참을 통화하는 아이도 있었다. 이런 분위기까지 예상한 것은 아니었기에 허둥지둥 학생들에게 휴지며 차를 갖다주었다. 촌스러운 나는 아이들 몰래 덩달아 눈물을 흘렸다.

내가 파견된 곳은 다낭의 공립 대학교. 베트남 전역, 특히 시골 출신 아이들이 많이 모이는 곳이다. 우리 학생들의 부모님 중에는 농사짓는 분들이 많은데, 큰 농장이 아닌 이상 베트남에서도 농사로 돈을 벌기가 쉽지 않다. 그래서 농사를 주로 지으면서 짬짬이 건설 일용직 일을 하는 분들도 있다고 한다. 그렇게 밤낮으로 일해 모은 돈을 자녀 학비와 생활비로 보내는 부모님. 어여삐 키운 자식이 낯선 도시에서 힘들지는 않을까 부지런히 반찬을 해다 나르고 쌈짓돈까지 쥐여 주는 부모님….

오늘 이 아이들의 연락과 사랑한다는 고백이 그분들께 작게나마 위로와 기쁨이 되길 바랄 뿐이었다.

일상다반사, 참을 인

외국에서 일하는 게 쉽지만은 않다. 다낭은 한국 관광객이 많이 찾는 도시다. 그렇다 보니 갑자기 방문객이 찾아오는 경우가 많다. 학과 사무실에 찾아와 수업 준비해야 하는 강사들을 붙들고 한 시간씩 말을 걸기도 하고 수업 중인 강의실을 기웃거리기도 한다. 학과 사무실을 찾지 못했을 때는 교직원 휴게실로 가는데, 그때마다 베트남 직원들은 그들을 나에게 인도한다. 정확히 말하면, 수업 중인 나를 불러내 손님을 떠맡기다시피 하고 자기 자리로 돌아간다. 그럼 나는 학생들에게 양해를 구하고 잠시 손님을 응대해야 한다. 영 당황스럽고 불편하지만 이젠 그러려니 하고 넘어간다.

난감한 순간은 이뿐만이 아니다. 오늘은 보강수업을 하는데 갑자기 다른 학과 교수가 찾아왔다. 지금 우리 때문에 자기네 학생들이 밖에서 기다리고 있다는 거였다. 나는 "학교 홈페이지에서 이 시간에 강의 없는 것을 확인했고, 정상적인 절차로 강의실을 빌렸다"고 차근히 설명했다. 전달이 잘 안 된 것 같으니 한 번 더 확인해 보라고도 했다. 하지만 그에게선 "자리를 옮겨 달라"는 말만 돌아왔다. 이러다가는 돌림노래가 될 것 같아 해결을 위해 동료 강사에게 전화를 걸었다.

잠시 후 우리는 다른 강의실을 배정받았다. 그러나 그곳에서는 이미 다른 강의가 진행 중이었다. 다시 배정받은 곳은 전기가 안 들어왔다. 이게 무슨 난리인고. 수업 시간을 까먹은 것도 속상한데 열심히 준비해 온 PPT 자료도 못 쓰게 됐다.

불도 안 들어오는 어두침침한 강의실에서 판서를 하고 있자니 열불이 났다. 아, 나는 얼마나 예민하고 신경질적인 사람인지. 학생들에게는 "우리 오늘 아침부터 운동 많이 했네요" 하며 웃어 보였지만 속은 부글부글 끓었다. 일주일 전에 신청한 게 왜 당일에 문제를 일으키는지 어이가 없었다. 앞으로 학교 전산 시스템을 어떻게 믿고 이용해야 할지 걱정스러웠다. 그 외국인 교수가 착각하고서는 고집을 부린 건지도 모르겠다는 생각이 들기도 했지만, 아무튼 애꿎은 우리가 강의실을 비워 준 것이 화가 났다.

짜증 난다는 말이 입 밖으로 튀어나오려는 것을 꾹꾹 눌러 담다가 다른 동기들을 생각했다. 나야 한국어를 잘하는 동료들과 학생들이 도와주어 일처리가 빨리 끝나지만 오롯이 현지어만 사용해야 하는 동기들은 얼마나 힘이 들까.

이런 상황도 있을 거라 미리 예상했었는데, 동기들에게 "그런 일이 있더라도 그냥 웃어넘기자"고 말했었는데 막상 닥치고 보니 내겐 그런 아량이 없었다. 나는 왜 문제가 생기면 당장 얼굴부터 찌푸리고 인상을 쓰는 걸까. 옹졸한 내 모습에 더 속이 상했다.

나의 모난 모습을 발견하는 것은 유쾌한 일이 아니다. 그래서 자꾸만 주변 탓을 하게 된다. 비겁하게.

버킷 리스트

개강 초에는 학생들과 함께 버킷 리스트(죽기 전에 꼭 하고 싶은 일)를 작성하고 발표하는 시간을 가진다. 서로 친해질 겸 가볍게 준비하는 시간이지만 학습 의지를 끌어올리는 데는 이만한 게 없다.

먼저 학생들에게 버킷 리스트의 의미와 작성법을 설명한 뒤 노래를 하나 들려준다. 베트남어로 번역한 가사를 보여 준 다음 노래 속 인물이 누구일지 맞혀 보라고 질문한다. 내가 준비한 노래는 이적·유재석의 <말하는 대로>다.

'나 스무 살 적에'로 시작하는 그 서글픈 가사의 주인공이 유재석이라고 하면 학생들은 대개 깜짝 놀란다. 그가 출연하는 <런닝맨>은 베트남에서 가장 인기 있는 한국 예능 프로그램이다. 그토록 유명하고 인정받는 MC에게 기나긴 무명시절이 있었다는 게 의외인 모양이다. 그리고 그도 20대 때는 우리처럼 불안과 걱정의 시기를 겪었다는 사실이 학생들에겐 위로가 된다.

이런 극적인 연출 뒤 각자의 버킷 리스트를 써 보라고 하면 사뭇 진지한 태도로 임한다. 아이들의 버킷 리스트에는 '새 휴대폰을 사고 싶다'거나 '부모님께 좋은 오토바이를 사드리고 싶다'는 등의 경제적인 소망이 많다. 구체적으로 어떻게 그 소망을 이룰지 적어 보라고 하면 아이들은 언제까지 얼마를 저축하겠다는 계획을 세운다. 그저 돈만 많이 벌고 싶다는 학생이 있으면 단기간 내에 실현 가능한 목표액을 정하고 계획을 세워 보라고 조언한다. 이번 학기에 성적장학금을 받는다거나 무리하지 않는 선에서 아르바이트를 시작하는 방법으로.

여학생들이 많아 '남자친구 만들기'도 꼭 빠지지 않는 항목이지만 대부분은 부자가 되기를 바란다. 부자가 되면 부모님께 효도도 할 수 있고 하고 싶은 것을 다 할 수 있으니 말이다.

다른 시간에는 교재에 나온 대화 지문을 읽다가 학생들에게 가장 받고 싶은 선물이 무엇이냐고 물어보았는데, 한 학생은 '돈'이라고 답했다. 돈만 있으면 다 살 수 있으니까 무엇을 고를지 고민할 필요가 없다는 거였다.

꿈이나 소망을 주제로 대화해도 돌고 돌아 결국은 '돈'으로 귀결된다. 한번은 좀 더 다양한 화제로 대화하고 싶어서 돈 말고 다른 건 없는지 물었더니 한 학생이 이렇게 말했다.

"그게 가장 현실적인 거예요."

…맞다. 학생들이 자꾸만 돈 돈 하는 것은 그게 가장 필요하기 때문이다.

이곳에서 '돈'은 한국어를 배우는 이유가 되기도 한다. 현재 우리 학생들이 돈을 가장 빨리 벌 수 있는 방법은 베트남 주재 한국 대기업에 들어가는 것이다. 대기업에 들어가면 1~2년만 버텨도 큰돈을 모을 수 있다. 그 돈으로 부모님 빚을 갚고 한국 유학도 준비할 수 있으니 모두들 삼성이나 LG 입사를 목표로 공부한다.

한국어 능력이 돈과 직결될 수 있는 이곳에서, 나는 우리 학생들이 부자가 되기를 바란다. 그럼 지금의 우울감이 사라질까, 삶에 대한 자신감이 좀 더 붙을까 싶어서다. 그런 마음으로 오늘도 "열심히 공부하자"고 소리치지만, 내 마음을 아는지 모르는지 우리 애들은 그저 쉬는 시간 더 달라고 아우성이다.

아아, 그래도 정말이지 나는, 우리 애들이 부자가 됐으면 좋겠다.

나의 버킷 리스트

근 8시간을 노트북 앞에 앉아 있었더니 어깨가 쥐어짜듯이 아파 왔다. 저녁식사도, 샤워도 유보한 덕에 나의 과제가 끝났다.

지난 버킷 리스트 수업 후 학생들에게 과제를 하나 냈다. 자신의 버킷 리스트를 정리해서 소개하고 각각의 이유도 이야기해 보는 것이다. 그리고 학생들이 동영상을 찍어 대본과 함께 제출하면 문장을 교정하고 코멘트를 다는 게 나의 과제였다.

한국보다 인터넷이 느린 데다 100명이나 되는 학생들에게 각기 다른 코멘트를 달기 위해 고민하다 보면 수업 준비를 할 때만큼 오랜 시간이 걸리곤 한다. 그래도 내 코멘트에 감동한 학생들이 "앞으로 더 열심히 공부하겠다"고 말해 주면, 나는 힘든 것도 잊은 채 다시 책상 앞에 앉게 된다.

과제를 하나하나 확인하다 보니 그 속에 담긴 학생들의 예쁜 마음이 고스란히 느껴졌다. 돈을 많이 벌고 싶은 이유에 대해 '가족을 위해서' '어려운 사람을 돕고 싶어서'라고 말할 때, 버킷 리스트로 '부모님께 사랑한다 말하기'를 꼽을 때, 그 순수하고 고운 마음에 웃음이 났다. '평생 다른 사람에게 친절히 대하고 싶다'거나 '의미 있는 인생을 살고 싶다'고 할 때, '꿈이 많은 만큼 계획을 세우는 것이 중요하다'고 말할 때는 그 어른스러움에 고개가 끄덕여졌다.

그리고 '사람들을 도우며 살고 싶다. 나도 경험해 봤기 때문에 가난한 사람들의 마음을 이해할 수 있다'라거나 '태풍 피해를 본 집이 얼른 수리됐으면 좋겠다'라는 글을 읽을 때면 마음이 아파 오기도 했다.

지난 반기를 지나오면서 나는 사실상 학생들에게 줄 수 있는 게 많지 않다는 것을 깨달았다. 내게 그럴만한 깜냥이 없을뿐더러 우리에게 주어진 시간도 많지 않기 때문이다. 나는 언젠가 이 학교를 떠날 테고, 학생들도 졸업해서 다낭을 떠나게 될 것이다. 어쩌면 4년 동안 대학에서 배운 것보다 사회생활을 하면서 배우는 것이 더 많을지도 모른다.

그러나 대학의 역할이 그것만은 아니기에, 나는 우리 학생들이 때때로 삶에 대해 고민도 해 보고 그동안 도전하지 않았던 일들을 경험해 봤으면 한다. 물론 우리 학생들이 좋은 곳에 취직해서 돈을 많이 벌면 좋겠지만, 꼭 그렇지 않더라도 한국어는 배울 만한 가치가 있다고 느꼈으면 좋겠다. 능력이 닿는 대로 그런 기회를 마련해 주고 싶다. 학생들에게 미처 말하지 못한 나의 버킷 리스트다.

개발협력의 꿈

어렸을 때 나는, 내가 부자가 되는 건 힘들 테니 말과 글로 부자들의 주머니를 열어 가난한 사람을 돕겠다고 다짐했었다. 더 성장한 후에는 적은 금액으로나마 월드비전에 정기 후원을 했고 몇 번의 봉사활동에 참여하기도 했다. 내가 할 수 있는 건 노력봉사와 교육봉사가 전부였지만 이렇게 보람 있는 일이라면 얼마든지 할 수 있을 것 같다는 생각이 들었다. 나의 첫 장기 봉사활동지가 외국이었기 때문에 자연스레 국제개발협력에도 관심을 가지게 됐다.

이 분야에 대해 잘 몰랐을 때만 해도 봉사를 하는 데 있어 돈은 그리 중요한 것이 아니라고 믿었다. 해외봉사단원 파견 6개월 차, 이제는 재력이 뒷받침되지 않으면 어렵다는 것을 안다. 이름이 알려진 NGO단체도 매년 재정 문제로 골머리를 앓는다. 아무리 좋은 활동이라 해도 당장 활동비가 없으면 중단될 위기에 처한다. 그 어려움은 대부분 큰 부자의 후원이 있어야 해결된다. 그렇다 보니 자본 부족으로 어쩔 수 없이 사업을 중단하는 경우도 적지 않다고 한다.

아무리 돈이 중요한 게 아니라 해도 물질은 우리 생활에 크고 작은 영향을 미친다. 우리 학생들만 보아도 알 수 있다. 공립대학이라 학비는 저렴한 편이지만 자취 생활을 하다 보면 그 밖의 부대비용이 많이 들 수밖에 없다. 그래서 학생들은 부모님의 부담을 덜어드리기 위해 가능한 한 아르바이트를 하려고 한다. 하숙비를 내기 위해, 생활비로 쓰기 위해, 여윳돈을 만들기 위해… 그중에는 더 좋은 옷을 사거나 예쁜 카페에 가고 싶어서 일하는 경우도 있다. 하지만 대다수의 학생은 정말로 돈이 필요해서 일을 구한다.

강의가 끝나자마자 당장 아르바이트하러 달려가고, 밤늦게 녹초가 된 몸으로 책상 앞에 앉기란 쉽지 않을 것이다. 누구는 아르바이트해서 용돈으로 쓰는데 나는 그 돈으로 한 달을 살아내야 한다는 부담감, 매달 내야 하는 하숙비에 대한 압박, 사람들이 쉬러 오는 곳에서 일해야 한다는 서러움…. 이 모든 것들이 학생들을 위축되게 하고 공부에 집중하지 못하게 만든다.

그 애들에게 기회를 주고 싶어서 한국어 동아리를 열기도 했다. 경제적 결핍 때문에 학생 간 격차가 벌어지거나 학습 의지가 꺾이는 일이 없기를 바라며 시작한 활동인데, 정작 내가 사정을 알고 꼭 좀 나왔으면 싶은 학생들은 나오지 않았다. 아르바이트 때문이지 싶어 반을 더 개설하고 다양한 시간대로 잡아도 소용이 없었다. 일하느라 피곤해

서일 수도 있고, 그만큼 의지가 없는 것일 수도 있다. 내가 학생들의 상황을 다 아는 것도 아니거니와 안다 해도 한 명 한 명 붙잡고 설득할 수는 없기에 안타까울 뿐이다.

결국 자주 참여하는 건 경제적 여유가 있는, 그래서 시간적 여유도 따라오는 학생들이다. 그런 학생들은 의지만 있다면 얼마든지 학업에 전념할 수 있고, 한국인이 운영하는 학원에서 추가적인 공부를 할 수도 있어 성적 올리기가 훨씬 수월하다. 이런 아이들은 나에게 놀러 가자는 말도 곧잘 한다. 소위 '있는 집' 아이들은 자신감이 넘치는 반면 평범하거나 가난한 집 아이들은 뭐가 그리 겁이 나는지 나에게 잘 다가오지 못하고 소극적이다. 몇몇 학생들과 친해지면 친해질수록 다른 학생들에게 미안한 마음이 크다.

베트남에 처음 왔을 때 KOICA 사무소에서 들은 말이 있다. '베트

남에서 굶어 죽는 사람은 없다'라는 것. 자원이 풍부해서 먹을 것은 누구나 충분히 구할 수 있다는 것이다. 즉 이제 베트남의 많은 국민이 느끼는 삶의 문제는 '절대적 빈곤'이 아니라 '상대적 빈곤'이라 할 수 있다.

학생들과 대화하다 보면 자신의 무기력함과 우울감을 내비치는 경우가 있다. 그런 아이들에게 어떤 말로 힘을 주면 좋을까 고민하다가도 입을 다물고 만다. 내게 어떤 답을 바라고 털어놓는 감정이 아니기 때문이다. 아이들에게 필요한 것은 그저 자신의 이야기에 귀 기울여 주고 공감해 줄 어른이다. 그러니 내가 해줄 수 있는 얘기는 고작 '살다 보면 그럴 때가 있더라'는 것, '나도 그랬었고 지금도 때때로 그런 감정에 빠진다'는 것, '그럼에도 네가 나를 좋아해 주듯이 너 역시 내게 멋진 학생이고, 우리에게는 아직 펼쳐보지 않은 무수한 가능성이 있다'는 것 정도다.

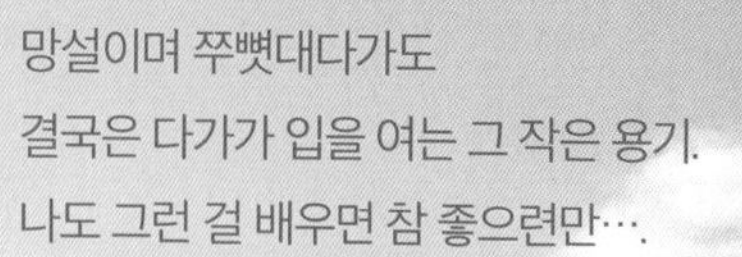

망설이며 쭈뼛대다가도

결국은 다가가 입을 여는 그 작은 용기.

나도 그런 걸 배우면 참 좋으련만….

세 번째,

다낭살이

오~ 필승 베트남

2018년 1월 27일, 베트남 축구 역사상 처음으로 국제 대회 결승전을 치르는 날! 이런 기념비적인 날에 가만히 있을 수가 없어 학생들과 함께 축구를 보러 나갔다.

도로는 온통 베트남 국기로 출렁거렸다. 오토바이도 자동차도 베트남 국기가 그려진 스티커를 붙이거나 베트남을 의미하는 빨간색을 칠하고 거리를 누볐다. 사람들이 몰리는 곳이면 어디든 축구 중계를 위한 대형 스크린이 설치됐다. 전자제품 판매장의 텔레비전 앞에 모여서 축구를 관람하는 사람들도 있었다.

2002년 월드컵 때 대한민국이 딱 이랬다는 누군가의 말에 새삼 가슴이 뛰었다. 그때 우리 마을 사람들은 학교나 마을회관에 큰 스크린을 설치해 놓고 다 함께 축구를 봤다. 아이들은 너 나 할 것 없이 붉은악마 티셔츠를 입고 다녔고, 학교에서는 경기 관람 감상문을 써 오라는 숙제를 내기도 했다. 나는 너무 어려서 별 감흥 없이 흘려보냈던 2002년의 기억…. 돌고 돌아 2018년 베트남에서 그 열기를 느끼게 될 줄 꿈에도 몰랐다.

경기를 보기 위해 학생들과 함께 카페를 찾았다. 경기 시작 전인데도 카페는 이미 많은 사람으로 복작거리고 있었다. 우리도 겨우 앉을 자리를 마련해 자리를 잡았다. 조금 있으니 보슬비가 내리기 시작했다. 천장이 뚫린 카페였기 때문에 미리 준비해 온 우비를 입고 경기가 시작되길 기다렸다.

베트남 축구팀이 결승에 진출한 것은 처음이기 때문에 모두 '오늘은 우승을 해도 기쁘고, 우승을 못 해도 기쁜 날'이라고 했다. 말하기 좋아하는 베트남 사람들답게 저마다 한마디씩 보태며 흥분된 분위기에 열기를 더했다. 그런데 문제는 인터넷. 연결 신호가 약한지 화면이 뚝뚝 끊겼다. 영 불안하다 싶더니 급기야 먹통이 돼 스크린에 까만 화면이 떴다. 경기 시간은 점점 다가오는데 그 전에 수리가 안 되면 어쩌나 싶어 초조했다. 아마 카페 주인은 더 애가 탔을 거다.

모두가 마음을 졸이는 가운데 다행히 경기 시작 직전에 인터넷 문제가 해결됐다. 베트남 선수들이 경기장에 입장하자 환호성이 쏟아졌다. 경기장에는 눈발이 날리고 있었다. 추위에 익숙하지 않은 베트남 선수들이 경기를 잘할 수 있을지 걱정됐다.

오랜만에 본 축구는 재미있었다. 모두가 한마음으로 응원하는 팀이 있으니 경기 상황에 따라 마음껏 기뻐하거나 안타까워하며 제대로 경기를 즐겼다. 그러나 여전히 문제는 인터넷이었다. 우리 스크린에서는 베트남 선수가 골문을 향해 달려가고 있는데, 인터넷이 좀 더 빠른 옆 가게에서 먼저 “만세” 소리가 터졌다. 그 소리에 우리도 일단 환호성을 질렀다. 뒤늦게 골 넣는 모습을 스크린으로 확인하고 다시 한번 환호성! 이렇게 황당한 ‘미리보기’가 계속되니, 정말 어디 가서 못 볼 풍경이구나 싶어 웃음이 났다.

이윽고 경기장에는 폭설이 내렸다. 베트남 선수들 모두 추위에 떨며 열심히 뛰었지만 상대의 골문은 쉽사리 열리지 않았다. 경기는 1:1 동점으로 연장전까지 팽팽하게 이어졌다. 빨갛게 얼어붙은 선수들의 얼굴을 보면서 나는 얼른 연장전이 끝나고 승부차기가 시작되기만을 바랐다. 평소 베트남 선수들은 승부차기에 강한 모습을 보여 왔기 때문이다.

하지만 경기 종료 직전, 상대 팀은 선수교체 카드를 꺼냈고 교체 투입된 선수의 슛에 골을 내주고 말았다. 예상치 못한 전개에 사람들은 모두 할 말을 잃었다. 눈 내리는 경기장에서는 베트남 선수들이 엎드려 울고 있었다. 내 옆에 있던 학생도 조용히 울기 시작했다. 나도 눈물이 날 것만 같았다. 우리는 괜히 날씨 탓을 하며 서로를 위로했다. 겨울에 꽤 춥다고 알려진 베트남 북부 지역도 간혹 서리가 내릴 뿐 눈은 거의 보기가 힘들다. 그러니 이만하면 정말 잘 싸운 것이다.

사람들은 저마다 아쉬운 마음을 달래며 자리를 떴다. 우리도 식당에 가서 저녁을 먹었다. 식당 밖으로 나와 보니 거리 행렬이 한창이었다. 도로는 이미 마비 상태. 오토바이를 끌고 나온 우리도 덩달아 도로 위에 한참을 멈춰 서 있었다. 모두들 오토바이 위에서 베트남 국기를 흔들고 응원가를 부르며 준우승을 축하했다. 사방에서 내뿜는 열기로 온몸이 땀에 젖어갈 때쯤 큰 도로를 벗어날 수 있었다.

밤이 되면 베트남 거리 곳곳에는 노천카페가 생겨난다. 카페 앞 인도에 작은 탁자와 의자 몇 개 놓아둔 게 전부인 단출한 야외석. 오늘만은 우리도 이 자리에 앉아 보기로 했다. 평소 같았으면 길 막는다고 째려봤을 낮은 의자에 내가 앉게 되니 기분이 새로웠다.

경기 후의 거리

거리는 여전히 사람들로 가득했다. 함성도 끊이질 않았다. 잠시 조용해지는가 싶으면 누군가의 선창이 이어져 끝날 줄을 몰랐다. 이때다 싶어 대형 스피커를 들고 나오거나 오토바이로 묘기를 부리는 청년들도 있었다. 지나가던 사람이 베트남 국기 모양 스티커를 나눠 주었다. 오늘은 모두가 눈만 마주치면 웃었다. 경찰과 오토바이 운전자가 하이파이브를 하는 모습도 볼 수 있었다. 식당에서는 축구 선수들과 이름이 같으면 공짜로 음식을 주문할 수 있는 이벤트를 열었고, 한국 사람에게 무료로 술과 음식을 제공하는 곳도 있었다. 온 나라가 축제 분위기였다.

오토바이가 없다면

오토바이로 인한 매연과 교통체증은 베트남 내에서도 심각한 문제로 여기고 있다. 이를 해결하기 위해 베트남 주요 도시인 하노이와 호찌민에 지하철 공사를 진행하고 있다.

정부는 계속해서 오토바이를 줄이고 자가용 보급을 늘리겠다는 방침을 발표하고 있지만, 서민들에게는 그저 먼 미래의 일처럼 느껴질 뿐이다. 자동차가 다니려면 길을 새로 깔거나 넓혀야 하는데 현재 도로 사정으로는 어림없는 소리기 때문이다. 그렇다고 막무가내로 길을 넓힐 수는 없지 않은가.

특히 오래된 주택들은 대부분 골목에 있는데, 자동차 한 대가 겨우 들어가는 곳부터 오토바이가 아니면 드나들기 힘들 만큼 좁은 곳도 있다. 또 집집마다 대문 앞에 오토바이를 세워 놓기 때문에 차가 있는 사람들도 길목에 주차해 놓고 집까지 걸어 들어가곤 한다.

'베트남에서 오토바이를 없애는 것이 가능한가'를 주제로 학생들과 토론해 보았다. 학생들 역시 '단기간에는 불가능할 것'이란 반응이었다. 도로 상황도 문제지만, 무엇보다 오토바이는 베트남 생활 전반에서 없어서는 안 될 교통수단으로 자리 잡았기 때문이다.

베트남 사람 대부분은 오토바이를 한 대씩 소유하고 있다. 한눈에 봐도 비싸 보이는 것부터 달달거리다 뚝 멈춰 버릴 것만 같은 낡은 스쿠터까지 크기와 모양은 제각각이지만, 최소한 한 집에 한 대씩은 구비하고 있다.

오토바이는 생계수단이 되기도 한다. 뒤에 손님을 태우기도 하고, 철근이며 얼음 등 갖가지 물건을 실어 나르기도 한다. 오토바이 가득 사람이나 물건을 싣고 다니는 모습을 보면 곡예사처럼 보일 정도다.

이곳 사람들은 걸어서 5분이면 갈 수 있는 가까운 거리도 꼭 오토바이를 이용한다. 더운 날씨 때문이기도 하고, 어디든 오토바이로 편하게 가는 것에 익숙해졌기 때문이다.

장거리 이동도 오토바이 한 대면 충분하다. 먼 시골에서 올라오는 학부모들은 오토바이 가득 짐을 싣고도 서너 시간을 달려 다낭에 온다. 배차 간격이 엉망인 버스를 기다리는 것보다 오토바이를 이용하는 것이 멀미도 없고 훨씬 수월하기 때문이다. 더군다나 버스나 지하철은 정확한 목적지 앞에 내려주지 않으니, 정류장에 내려 다시 택시를 잡거나 걸어가야만 한다. 시간과 돈이 배로 드는 그 불편을 사람들이 대체 무엇 하러 감수하겠는가.

오토바이를 타고 다니는 사람들은 몸도 마음도 자유로워 보인다. 주말엔 거창한 계획을 세울 것도 없이 오토바이를 타고 해안도로를 쭉 달리거나 바닷가에 나가 간식거리만 사 먹어도 근사한 외출이 된다. 열대야로 잠 못 이룰 때는 야외로 나가 더위를 식히다 들어온다. 용감한 사람들은 오토바이에서 먹고 자며 며칠씩 여행을 하기도 한다. 오토바이 위에서 숙식을 다 해결하는 것이다.

그 밖에도 오토바이를 포기하지 않을 이유는 많다. 가성비를 따져 봐도 자동차보다는 오토바이가 훨씬 낫다. 자동차는 그 자체로도 비싸지만 자동차를 샀을 때 따라붙는 세금도 엄청나다. 정부에서 자동차 취득세를 낮추지 않는 이상 베트남에서 차를 산다는 것은 엄청난 부담이 될 수 있다. 오토바이 한 대면 네 가족이 이동할 수 있는데 차보다 기름값은 훨씬 덜 든다. 더욱이 길이 막힐 땐 옴짝달싹도 할 수 없는 자동차보다는 가볍고 날랜 오토바이가 낫다.

학생들에게도 오토바이는 필수품이다. 대학에 들어갈 때 부모님께 선물 받기도 하고, 직접 돈을 모아서 사기도 한다. 오토바이가 없으면 아르바이트를 구하기도 쉽지 않기 때문이다. 통학할 때, 시장 갈 때, 친구 만날 때, 고향에 갈 때 등 학생들의 일상은 늘 오토바이와 함께다.

그렇기 때문에 학생들과 나는 입을 모아 '오토바이 없는 베트남'은 미래에, 그것도 아주 먼 미래에나 가능할 것 같다며 고개를 내저었다.

학생들은 내게 종종 이렇게 묻는다.
"선생님 오토바이를 탈 수 있어요?"
"오토바이 타 본 적은 있어요?"
"한번 타 보고 싶어요?"

타 보고 싶다고 하면 당장이라도 빌려줄 기세다.

지금껏 오토바이를 한 번도 운전해 본 적이 없다고 하면 놀라고, 자전거도 못 탄다고 하면 그 큰 눈들이 더 휘둥그레진다. 학생들 반응에 머쓱해진 내가 그래도 자동차는 운전할 수 있다고 하면 더더욱 놀란다. '그 쉬운 자전거도 못 타면서 자동차를 운전한다고?' 하는 눈빛.

그러면 내 대답은 간단하다.

"차는 바퀴가 네 개잖아요. 넘어지지 않아요."

공유와 소유

언젠가 방안에만 틀어박혀 있는 내 모습을 자책하며 "하나님, 제가 너무 좋은 집에 살아서 밖에 나가지 않나 봐요"라고 기도했었다. 그런데 기도를 마치고 불을 탁 켰을 때, 시트콤의 한 장면처럼 책상 위에 회색 도마뱀이 올라와 있었다. 저도 인기척을 느껴 놀랐는지 참깨만 한 눈을 끔벅끔벅.

그러다 서로 눈이 마주쳤다. 아, 가까이서 본 그 작은 도마뱀의 눈은 새카맸다. 이걸 어찌할까 싶어 고민하는 사이 도마뱀이 후다닥 몸을 숨겼다. 창문 밖이 아닌 옷장과 벽 사이 작은 틈으로….

그날부터 녀석과의 기묘한 동거가 시작됐다. 사실 도마뱀쯤이야 학교며 식당이며 어디서든 흔하게 보는 것이고 사람에게 해를 가하지도 않으니 무섭지는 않다.

문제는 '나만의 공간'이라 믿었던 우리 집에 대한 환상이 깨져 버렸다는 것. 그동안 여기엔 나만 살고 있는 줄 알았다. '내 집'이라는 게 으레 그런 의미로 통하니까. 가끔 놀러 오는 사람들도 내가 초대할 때 오는 것이지 이렇게 마음대로 찾아오지는 않는다. 그런데 근래 들어 도마뱀이나 바퀴벌레 같은 불청객들은 불쑥불쑥 나타나 나를 깨우치고 있다. '짜잔! 놀랐지? 놀랄 것도 없어. 여기 너만 사는 거 아니야' 하고 말이다. 그러고는 기세등등하게 싱크대 위를, 화장실을, 콘크리트 벽을 누비며 활보한다.

우리는 흔히 착각한다. 내 돈 주고 산 땅, 거기다 내 돈을 더 얹어 지은 집이니 온전히 내 것이라고. 뚝딱뚝딱 시끄러운 소리를 내며 땅의 원주인들을 몰아내고 '내 소유'라며 거들먹거린다. 하지만 공사가 끝나면 그들에게 쫓겨났던, 실은 아주 오랫동안 그곳에 터를 잡고 살았던 이들이 다시 조용히 찾아온다. 인간 따위는 신경 쓰지 않고 원래의 자리에서 원래의 삶을 살아가는 것이다. 그들의 등장으로 이곳은 사유에서 공유하는 공간으로 바뀐다. 우리만 그 사실을 모르고 살아갈 뿐이다.

우리는 욕심의 한도를 모르는 것처럼 산다. 행복이나 안정이라 불리는 것을, 다채로운 감정을, 더 많은 지식과 경험을, 절대 내 것으로 만들 수 없는 사람을, 돈과 명예, 인기, 안락함, 다른 사람으로부터 받는 인정, 모든 것이 잘 되고 있다는 확신 혹은 그 비슷한 생각을…. 채우기에만 급급해하니 신체적으로도 정신적으로도 탈이 난다.

그럼에도 더 가지려고 애쓰니, 어찌 보면 인생은 끊임없이 소유하려는 투쟁과도 같다. 그러나 잠시, 잠깐 승리한다고 해도 영원한 내 소유라는 것은 없다. 지식도 경험도 누군가와 나누지 않으면 기억에서 사라지고, 내 것이라 단단히 믿고 있는 몸뚱어리마저도 언젠가는 내 뜻대로 움직이지 않게 된다. 그나마 내 마음대로 쓴다고 생각하는 시간조차 부득이하게 공유해야 하는 때가 온다. 몸과 시간이 그러할진대 하물며 다른 것은 오죽할까.

지금도 도마뱀의 껙껙대는 울음소리가 들린다. 가끔 이렇게 보이지 않는 곳에서 요란스레 제 존재를 드러내며 우리가 같이 살고 있음을 내게 인지시켜 준다. 어쩌면 우리는 꽤 오랜 시간을 함께 지내 왔을지도 모른다. 내가 잠들면 녀석들이 깨어나고, 내가 깨어 있을 땐 놀랄 나를 배려해 녀석들이 잠시 자리를 비켜주며….

문득 궁금해진다. 이들에게 나는 몇 번째 세입자일까?

베트남 설 풍경

1월 31일에 학과 송년회가 있다는 소식을 들었다. 1월 말에 연말 행사를 하다니 신기했다. 그리고 새삼 실감이 났다. '아, 내가 외국에 있기는 하구나!'

베트남에서는 음력설이 있는 2월을 진짜 한 해의 시작으로 여긴다. 자연스럽게 연말은 1월이 된다. 각종 행사가 12월에 몰리는 한국과 달리 베트남은 1월 말부터 2월 초 사이가 가장 바쁘다. 더불어 음력설은 가장 큰 명절로 여긴다. 정부의 발표로 약 열흘의 공휴일이 생기고 기관 재량에 따라 2주에서 4주까지 쉬기도 한다. 추석에 쉬지 않는 대신 설에 몰아서 쉬기 때문이다.

설날이 되면 민족 대이동이 일어난다. 학생들은 내게 여행 갈 계획이면 미리 표를 사 두라고 했다. 이 기간에는 비행기·기차·버스 등 베트남의 모든 교통수단의 푯값이 오르기 때문이다. 적게는 30%부터 많게는 두 배까지 오른다. 그래도 버스며 기차며 대부분의 교통수단은 일찌감치 매진된다. 가족에 대한 애착이 남다른 베트남 사람들은 명절에 가족들과 모이는 것을 무척 중요하게 생각하기 때문이다. 학생들 중에는 수업을 빼고 미리 고향에 가거나 설 연휴가 끝나고 한참 뒤에 돌아오는 경우도 있다.

명절 전 주에는 학생들에게 한국의 설 풍경을 소개하는 시간을 가졌다. 이미 잘 알고 있는 전통문화뿐만 아니라 '명절 증후군'이나 '명절 잔소리'에 대해서도 설명해 주니 다들 베트남도 그렇다며 공감했다. 예시로 대화 지문을 몇 개 만들어 갔는데 베트남 어른들도 똑같이 말한다며 신기해했다.

설 연휴에 북적이는 인천공항 사진을 보여주니 다들 깜짝 놀랐다. 요새는 고향에 내려가는 대신 가족끼리 해외여행을 가거나 집에서 쉬는 사람들이 늘어나는 추세라고 하자 베트남에도 그런 사람들이 많아지고 있다고 했다. 실제로 이번 설에 고향에 가는 대신 아르바이트를 하거나 여행을 떠날 계획이라는 학생들이 몇 있었다.

이번 설에 우리 학교는 2주를 쉰다고 했다. 휴가기간은 지역마다 다르고 같은 다낭이라 해도 학교마다 차이가 난다. 학생들은 그게 불만인 모양이지만 나로서는 감지덕지. 이렇게 긴 휴가는 듣도 보도 못했다.

나는 오랜만의 쉼이 반갑기만 한데, 베트남 사람들 눈에는 혼자 보내는 명절이 영 안타까운 모양이었다. 다낭이 고향인 동료들은 집에 놀러 오라고도 하고, 제사가 끝나면 밖에서 커피 마시자는 말도 건네주었다. 이렇게 챙겨 주는 마음이 있으니 정말 외롭지가 않다.

고향으로의 초대

휴일이 다가오니 동료 강사들은 내게 먹을 것을 쟁여 놓으라고 야단이었다. 연휴에 문 닫는 식당과 가게가 많기 때문이다. 다낭의 경우 관광객 때문에 문을 여는 곳도 많지만 명절이라는 이유로 서비스 요금을 20%나 30%씩 부과하기도 한단다. 사람들의 성화에 못 이겨 결국 이것저것 식량을 구비해 두었다.

그런데 얼마 후 한 동료 강사 어머님에게서 연락이 왔다. 제사를 지내느라 음식을 많이 해 놓았으니 와서 저녁식사를 하고 가라는 연락이었다. 타지 생활을 한다고 늘 이렇게 챙겨 주시니 너무나 감사했다.

함께 저녁을 먹던 중 어머님께서 내게 설 계획을 물어보셨다. 집에서 쉬겠다고 하니 "한국에 안 가고?"라며 놀라셨다. 그러고는 고민하는 기색도 없이 어머님 고향에 같이 가자고 하셨다. 내심 따라가 보고 싶었지만 모처럼 쉬는 동료 강사가 불편해하지 않을까 싶어 사양했다. 그러자 이번엔 동료가 같이 가자고 말했다. 몇 번을 사양하다가 두 분의 말이 빈말이 아닌 것을 알고 같이 가기로 했다. 첫 휴가였다.

이번 설에는 동료 강사 가족 모두 어머님 고향에 가기로 했다. '뚜옌꽝'이라고 하는 북부 소도시로, 다낭에서 차로 15시간 넘게 걸리는 곳이다.

교통체증을 피하기 위해 우리는 새벽 일찍 출발했다. 앞좌석에는 아버님과 어머님이 타고 뒷좌석에는 동료 강사의 어린 남동생과 내가 탔다. 하노이에 들러야 할 일이 있어 먼저 출발한 동료 강사는 아직 베트남어 실력이 좋지 않은 내가 가족들과 잘 소통할 수 있을지 걱정했다. 하지만 어머님은 번역기가 있으니 염려 말라 하셨고 나는 보디랭귀지가 있으니 걱정 붙들어 매라고 했다.

그렇게 시작된 우리의 여정. 꼬박 하루가 걸릴 예정이었다.

내비게이션의 안내에 따라 차는 시내를 빠져나갔다. 휴게소에서 이른 점심을 먹고 난 뒤부터는 인적이 드문 도로를 달리기 시작했다. 휴게소가 없어서 중간중간 화장실이 가고 싶으면 길가에 차를 대고 노상방뇨를 했다.

쉼 없이 달리던 차는 낯선 동네로 들어가더니 이내 어느 집 앞에서 멈춰 섰다. 아버님 친구분 댁인 것 같았는데, 오늘은 여기서 저녁을 먹을 거라고 했다. 집에 들어가니 한 상 가득 음식이 차려졌다. 모두 둘러앉아 밥을 먹는데, 큰딸이 없으니 그 대신 내게 질문이 쏟아졌다. 아버님은 내가 베트남어를 조금 할 줄 아는 게 자랑스러우신 듯 계속해서 베트남어를 시키셨다. 내가 할 수 있는 말을 다 하고 나니 어색함이 몰려와 나는 부지런히 젓가락을 놀렸다.

난생처음 보는 음식이 많았다. 그중 바나나 껍질로 싼 빨간 햄은 삭힌 것인지 시고 쿰쿰한 맛이 났다. 도무지 내 입맛엔 맞지 않아서 하나 먹고는 안 먹고 있었는데, 그게 이 지방 특산물이니 많이 먹으라며 다들 내 앞으로 그릇을 밀어 주었다. 그 정성을 무시할 수 없어서 몇 개 더 집어 먹었다. 빨리 씹어서 얼른 꿀떡 삼켜야 할지 느릿느릿 씹으며 시간을 끌어야 할지 고민이 됐다. 자꾸 권하는 손길에 대책 없이 먹었더니 나중에는 삭힌 홍어를 먹은 것처럼 입 안이 따가웠다. 그래도 따끈한 국물과 갖가지 음식을 배불리 먹으니 명절 기분이 났다.

술자리가 길어지고 '아버님은 운전해야 하는데 저렇게 술을 드셔도 되나' 하고 걱정이 될 때쯤 자리가 파했다. 아버님께 운전하셔도 되냐고 여쭤보니 오늘은 여기서 자고 갈 거라고 하셨다. 근처 모텔에 방을 잡고 아버님과 어머님, 나와 동료 강사의 동생이 나란히 누웠다. 내일도 새벽에 출발해야 한다니 일찍 잠자리에 들었다.

다음 날 우리는 근처 노점상에서 이른 아침을 먹고 출발했다. 가는 길에 또 한 번 차를 세워 먼 친척분의 새집을 구경하고 완공을 축하했다. 큰집 가는 길에 집집마다 들러 명절 인사를 하는 것은 우리네 설 풍경과 똑 닮았다는 생각이 들었다.

날씨가 쌀쌀했던지라 집주인들은 우리에게 차를 권했다. 술잔처럼 작은 찻잔에 채워진 녹차는 혀가 아릴 만큼 썼다. 북부 사람들은 이렇게 진한 차를 마시는 걸까? 덕분에 잠이 싹 달아났다.

다시 출발한 차는 비포장도로를 달려 점점 시골 마을로 들어섰다. 갈래갈래 길이 많아 내비게이션을 따라 가다가도 중간에 차를 세워 사람들에게 길을 물어봐야 했다. 좁은 길을 달려 한참을 가다 보니 멀리서 마중 나온 동료 강사가 보였다. 아, 얼마나 반갑던지…! 귀성길의 기쁨을 몸으로 체험한 순간이었다.

베트남의 설 풍경

새해

베트남 사람들에게 설은 특별하고 중요한 날이다. 새해가 오기 전에 대청소를 하며 액운을 몰아낸다. 설날에 처음 찾아온 손님과 집주인의 띠가 잘 맞으면 한 해 운수가 좋다고 여기기도 한다.

시골에서의 하루는 느릿느릿 흘렀다. 때가 되면 밥 먹고 설거지하고 시장 구경을 갔다. 밤에는 추워서 솜이불을 덮고 잤고, 낮에는 마당에서 옆집 아기와 놀았다. 어른들은 손님이 오면 따뜻한 차를 대접하고 긴 통 담배를 피우며 담소를 나누었다. 집 대문은 늘 열려 있고, 손님맞이 탁자에는 견과류와 진한 녹차가 준비돼 있었다. 점심 때 오는 손님은 자연스레 식사에 합류했다. 집 앞을 지나가는 이웃을 보면 와서 밥 먹고 가라고 불렀다. 차려놓은 상에 수저와 공기만 더 얹으면 그만. 우리네 시골과 다르지 않은 풍경이었다.

드디어 연말. 베트남 음력으로 12월의 마지막 날이 다가왔다. TV에서는 만담 쇼가 펼쳐졌다. 매년 설날이 되면 베트남의 유명 코미디언들이 나와 한 해 동안 있었던 일을 풍자하는 쇼를 진행한다고 한다. 나로선 도통 이해할 수 없는 말들이 오갔지만 표정이나 몸짓만 봐도 재미있었다. 동료 강사의 가족들은 웃겨서 수시로 뒤집어졌다.

전날에는 명절 떡을 장만했다. 우리나라에서 송편을 빚을 때처럼 온 가족이 다 같이 만드는 줄 알았는데, 낯선 할머니 한 분이 준비된 재료를 다 쓰는 모습에 놀랐다. 알고 보니 그 할머니는 이 동네의 떡 장인이었다. 명절 떡을 만들기가 쉽지 않아서 보통은 돈을 주고 전문가를 부르거나 시장에서 떡을 산다고 했다. 보기에는 쉬워 보였는데, 재료를 한데 모아 바나나 잎으로 풀어지지 않게 잘 싸는 게 꽤 어려운 기술이란다. 동료 강사와 나는 혹시 도울 게 있을까 싶어 옆에 앉아 있었지만 결국 구경만 했다. 다 만든 떡은 솥에 넣어 밤새 쪘다.

그리고 한 해의 마지막 날인 다음 날 그 떡을 꺼내고 음식을 잔뜩 차려 손님들을 초대했다. 실컷 먹고 설거지까지 마치고 나니 졸음이 쏟아졌다. 오늘 하루도 이렇게 끝나는구나 싶어 씻고 자리에 누웠는데, 얼마 지나지 않아 아버님이 방에 들어오셨다. 크게 "해피 뉴 이어!"라고 외치면서!

너무 놀라 벌떡 일어났지만 여전히 상황 파악이 안 됐다. 그런데 아버님이 갑자기 돈 봉투를 주셨다. 한사코 사양하니 동료 강사가 "이건 '행운의 돈'이니까 받으라"고 했다. 곧이어 큰어머님께서도 봉투를 주셨다.

'이럴 줄 알았으면 나도 준비할걸….'

그 순간 좋은 아이디어가 떠올랐다. 받은 돈 봉투를 비우고 새로이 돈을 넣어 어른들께 드리는 것이다. 여행 경비로 쓸 돈이었지만 지금까지 숙박비며 밥값이며 어른들이 계속 내주신 덕분에 돈이 많이 남아 있었다. 이렇게라도 마음을 표현할 수 있어 기뻤다.

서로 덕담을 나누며 돈 봉투를 주고받은 다음 거실로 나가니 탁자에 과일과 오렌지즙이 준비돼 있었다. 오렌지를 많이 재배하는 이곳에서는 한 해를 달콤하게 살자는 의미로 새해 첫날 오렌지즙을 마신다

베트남의 설 풍경

고 했다. TV에서는 때맞춰 불꽃놀이가 한창이었다. 꿈만 같은 새해맞이였다.

새해 첫날이 되자 손님맞이 탁자에는 각종 견과류와 말린 과일이 수북이 쌓였다. 수박씨, 해바라기씨, 아몬드, 마카다미아, 말린 코코넛에 자몽, 연밥, 당근, 연근까지 준비됐다. 여기다 사탕, 캐러멜, 한입거리 과자도 꺼내 놓고 손님들이 담소를 나누는 동안 마음껏 집어 먹도록 대접했다.

아침을 먹고 난 뒤 바로 집을 나섰다. 가까운 친척집은 걸어서 방

문하고 먼 길을 가야 할 때는 오토바이나 자동차를 타고 이동했다. 도착하면 어른들이 서로 반갑게 인사를 나누는 동안 옆에서 기다리고 있다가 내 차례가 오면 인사를 드렸다. 그런 다음엔 가만히 자리에 앉아 내어 주시는 차나 간식거리를 받아먹었다. 베트남 시댁에 처음 방문한 한국 며느리가 된 것 같은 기분이 들었다.

몇 집을 돌고 나니 이내 점심시간이 됐다. 우리는 먼 동네에 계신 친척분의 집에서 점심을 먹었다. 밥을 먹다가도 아버님께서 "리!" 하고 나를 부르시면 쪼르르 달려가 어른들께 인사를 드렸다. 여기저기 자리를 옮겨가며 밥을 먹는데 옆에 큼직한 휘발유 통이 보였다. 뭘까 싶었는데 역시나 술이었다. 집에서 담근 술이라고 했다. 큰 통에 든 것을 우선 대접에 부은 다음 조그만 술잔으로 떠 마셨다. 한 잔 마셔 보니 누군가의 말처럼 식도가 어디부터 어디까지인지 고스란히 느껴질 정도로 독했다. 대체 인간의 몸은 얼마나 튼튼하기에 이런 것을 마시고도 녹지 않는 걸까 싶었다. 계속 받아먹다간 죽겠다 싶어서 슬쩍 여자들이 모인 곳으로 자리를 옮겼다.

명절은 살찌는 계절이 분명했다. 각종 고기부터 베트남 전통 떡, 햄, 육포, 생선, 채소 요리까지 뭐 하나 빠지는 게 없었다. 이렇게 한 상 가득 먹고 나서 또 설탕에 절인 채소나 견과류를 먹었다. 열심히 먹는데도 왜 이리 못 먹느냐며 음식을 덜어 주시고, 방금 집어 먹었는데도 고기 좀 먹으라며 성화인 어른들. 그 모습을 보니 정말 명절이구나 싶었다. 꼭 설날을 맞아 시골 할머니 댁에 내려온 것 같은 기분이 들었다.

특별한 보양식

여느 때처럼 “씻어야지!” 하는 할머니의 호령에 샤워를 하고 나오는데 동료 강사가 주섬주섬 짐을 챙기고 있었다. 뭐하냐고 물으니 우리가 내일 여기를 떠난다고 했다. ‘이렇게 갑자기?’ 지난번에 어머님께서 북부로 올라온 게 오랜만이니 자가용으로 이동하는 김에 몇 군데 더 들러 구경을 하고 가자고 얘기하시긴 했지만, 그래도 이렇게 일찍 떠날 줄은 몰랐던 터라 너무 아쉬웠다.

다음 날 아침밥을 먹고 난 뒤 가족들은 서로 덕담을 주고받으며 작별을 준비했다. 나도 떠듬거리는 베트남어로 몇 마디 인사를 건네고, 동료 강사의 도움을 받아 더 하고 싶은 말을 전했다. 이방인인 나를 따뜻하게 맞아 주신 그 고마움은 절대 잊지 못할 것이다.

다낭으로 돌아가는 길에도 친척 집에 들러 식사를 하거나 하룻밤 묵어가기도 했다. 베트남의 여러 가정집을 방문하다 보니, 베트남도 우리나라처럼 집마다 명절상 차리는 방식이 다르다는 것을 알 수 있었다. 나는 대체로 베트남 음식을 좋아하는 편이지만 손대기 어려운 음식도 있었다. 삭힌 햄이 그러했고, 발톱이 그대로 붙어 있는 닭발 요리도 그랬다. 학교에서 다른 강사들과 종종 시켜 먹었던 닭발은 발톱이 잘 정리돼 있고 여러 가지 소스에 버무려져 있었다. 그런데 발톱이 있는 상태에서 하얗게 삶아 놓은 것을 피시 소스에만 찍어 먹으려니 좀 어색했다. 그래도 음식을 내어 주신 분들의 성의를 생각하며 열심히 먹었다.

한번은 내가 달걀부침을 먹고 있으니 동료 강사가 의미심장한 미소를 띠며 "그게 무엇으로 만든 건지 아느냐"고 물었다. '보기엔 그냥 채소 같은데, 그랬다면 굳이 물어보지 않았겠지?' 얼떨떨하게 뭔지 모르겠다고 하자 내게 무어라 설명을 하는데 몇 번을 얘기해도 알아들을 수가 없었다. 그러자 동료는 휴대폰으로 뭔가를 검색해 내 눈앞에 턱 내밀었다. 사진 속에서 당장이라도 꿈틀댈 것 같은 이건… 갯지렁이? 대번에 "쌤! 이걸 나한테 왜 보여 줘요!" 하는 소리가 나왔다.

그러고 보니 베트남에 와서 갯지렁이에 대한 얘기를 들어본 적이 있는 것 같았다. 강과 바다가 이어지는 삼각주에서만 구할 수 있는 귀한 식재료라고…. 그렇게 값진 음식이건만 실체를 알고 나니 그쪽으론 젓가락이 잘 가지 않았다. 맛있게 잘 먹고 있었는데…. 그래도 아예 손을 안 댈 수는 없어 결국 몇 번 더 먹었다. 아아, 베트남이 정말 나를 강하게 키우는구나.

종강파티

수업 중 갑자기 동료 강사에게서 전화가 왔다. 학생들이 이두리 선생님을 찾고 있다며, 지금 어디냐고 묻는데 참 황당했다. 아니 어디긴 어디야, 강의실이지!

지난번 출장 때문에 못 한 말하기 수업을 보강하는 날이었다. 보강 수업을 하게 되면 원래 사용하던 강의실은 쓸 수 없고, 다른 곳으로 변경해야 한다. 지난주에 이미 변경된 장소를 공지했고, 혹시 확인하지 못한 학생들이 있을까 싶어서 수업 전에 변경 전 강의실에서 기다리기까지 했다.

동료 강사에게 변경된 강의실 위치를 알려주고 잠시 기다리니 생각보다 많은 학생이 우르르 들어왔다. 이게 뭔가 싶어서 당황한 것도 잠시, 학생들에게 정황을 물으니 내가 이메일로 공지한 강의실이 다른 곳이었단다. 믿을 수가 없어서 이메일을 확인해 보니, 오늘과 내일 사용하는 강의실이 다른데 내가 그만 내일 사용할 강의실 호수만 알려 준 것이었다. 오지 않는 나를 기다리며 학생들이 얼마나 당황했을지 눈에 선했다. 얼굴을 확인해 보니 평소에 지각도 별로 하지 않는 학생들이었다. 내 멋대로 지각생일 거라 단정 짓고 잠시나마 괘씸해한 것이 미안했다.

학생들에게 사과했지만 이 더운 날에 30분 넘게 기다리게 한 것을 생각하면 미안함이 가시질 않았다. 결국 학생들끼리 대화문을 연습하

는 사이, 학과 사무실로 가 지갑을 확인했다. 혹시 현금이 없으면 어쩌나 고민했는데 다행히 5만 원 정도의 돈이 있었다. 반에 있는 학생 수는 열일곱. 무엇을 사 먹든 이 돈 안에선 해결이 될 것 같아 기분 좋게 강의실로 돌아갔다.

학생들에게 나 때문에 더운 날 오래 기다렸으니 시원한 음료를 사겠다고 했다. 환호성을 지르고 얼굴에 화색이 도는 것도 잠시, 무엇이 먹고 싶으냐고 물으니 우물쭈물하다가 '콜라'란다. 그런 거 말고 더 맛있는 걸 사주겠다고 하니 대답을 못 하고 망설이기만 했다. 그러다 한 학생이 용기를 내어 '밀크티'라고 얘기했다. 그것도 아주 조그맣게.

밀크티는 작년부터 지금까지 베트남 청춘들 사이에서 가장 인기 있는 음료다. 용기 내서 이야기한 학생을 칭찬하며 얼른 주문하라고 했더니 또 서로 눈치만 보기 시작했다. 일부러 오늘 공부할 거 많다고 얼른 시키라 재촉해도 선뜻 움직이는 이가 없었다. 한 번 더 얘기했더니, 이번엔 하나같이 옆 사람을 가리키며 “그럼 둘이서 하나를 나눠 마실게요. 너무 비싸요” 하는 게 아닌가! 나를 걱정해주는 마음이 기특하기도 하고 고맙기도 했다. 주저하는 학생들에게 오늘은 말하기 연습을 많이 해야 하니 힘내야 한다며 각기 한 잔씩 시키자고 했다.

주문 전화를 걸 때부터 설레던 아이들은 수업에도 집중하지 못하더니, 밀크티가 도착하자 신이 나서 어쩔 줄을 몰랐다. 그러더니 밀크티를 손에 들고 이 각도 저 각도 바꿔 가며 인증샷을 찍어댔다. 아마 그 사진은 인스타그램이나 페이스북에 올라갈 것이고, ‘우리 선생님이 사줬다!’ 하고 자랑하는 글도 함께 실릴 터였다. 그럼 내가 실수한 일까지 만천하에 공개되겠다 싶어 민망한 기분도 잠시, 잔뜩 신이 난 아이들을 보니 덩달아 기분이 좋아졌다.

학교에 처음 왔을 때부터 가르쳐서 그런지, 유독 정이 더 많이 가는 아이들. 다음 학기에 또 만날 수 있을지 모르지만, 이 학생들과 함께할 시간이 더 많으면 좋겠다는 생각을 했다.

쉬는 시간 없이 바로 다음 수업이 이어졌다. 다섯 시간 내내 서 있었더니 기운이 쪽 빠졌다. 그래도 이번 학기 수업은 이것으로 끝이었고, 후련함과 섭섭함이 교차했다.

마지막 수업이 끝난 후 빈 강의실을 정리하고 나가려는데 학생 몇이 쪼르르 달려왔다. 무슨 말을 하려고 하나 봤더니 수줍은 목소리로 “같이 사진 찍어요”라고 말했다.

촌스러운 나는 사진 찍자는 말도 못 하고 이렇게 학생들이 먼저 얘기해야만 쑥스럽게 카메라 앞에 선다. 망설이며 쭈뼛대다가도 결국은 다가가 입을 여는 그 작은 용기. 나도 그런 걸 배우면 참 좋으련만…. 덕분에 이번 학기의 추억이 몇 장 남았다.

포상의 날

오늘은 말하기반 학생들과 저녁 약속이 있다. 학생들의 수업 참여도를 높이기 위해서 학기 초반에 '발표를 가장 많이 하는 사람에게 종강 후 고기를 사주겠다'고 선포했었는데, 오늘이 그 약속을 지키는 날이었다.

메뉴를 고민하다 한국식 삼겹살로 골랐다. 한국식 고기구이는 한국 드라마에 자주 나와 베트남 사람들에게도 꽤 익숙한 음식이다. 이미 다낭에는 삼겹살이며 양념갈비를 판매하는 고깃집이 많다. 현지인들도 한국식 고기구이를 종종 먹으러 가는데, 쌈장을 좋아하고 같이 구워 먹는 김치와 콩나물도 잘 먹는 편이다.

우리 학교 학생들은 워낙 조용하고 숫기가 없는 편이라 수업 때마다 진땀이 난다. 같이 잘 웃고 떠들다가도 한 명 콕 집어 발표를 시키면 갑자기 혀가 굳는다. 나야 학생들과 깔깔대고 떠들다 수업을 끝내면 편하겠지만 도무지 그럴 수가 없다. “입사 면접시험을 보러 가면 하노이, 호찌민 대학 학생들은 자신 있게 한국어로 얘기하는데, 다낭 학생들은 기가 죽어 몇 마디 하지도 못한다”는 얘기를 동료 강사들에게 전해 들었기 때문이다.

어떻게 하면 수업 참여도를 높일 수 있을까 고민하다가 결국 발표를 가장 많이 한 사람에게는 고기를 사주겠다고 선언했다. 단순한 방법이지만 효과는 좋았다. 학생들에겐 고기도 고기지만 한국인 선생님과 개인적으로 만날 수 있다는 점이 크게 어필했다. 지금까지 학생들은 원어민 선생님과 같이 차를 마시거나 밥을 먹어본 적이 없다고 했다. 그러니 무얼 먹든, 한국인과 시간을 보내며 한국어로 대화를 나눌 수 있다는 게 큰 메리트로 다가왔을 것이다.

한편 이 유치한 공약 속에는 학생들에게 핑곗거리 하나 주고 싶은 나의 마음도 숨겨져 있었다. 대학생이면 아직은 한창 예민할 시기. 수줍어서 그런 것도 있겠지만 그보단 친구 눈치가 보여서, ‘나댄다’는 얘기를 듣게 될까 봐 나서기 어려울 때가 많다. 오늘 만난 학생들도 그런 말을 했다. 발표하려고 손을 들 때마다 친구들이 나를 어떻게 생각할지 걱정됐다고…. 그러니 나는 ‘고기’를 핑계 삼아서라도 학생들이 더 열심히 수업에 참여하고 꾹 다문 입을 한 번 더 열어 주길 바랐다.

물론 모두가 열심히 참여하는 수업인데 몇몇에게만 상을 주는 것이 미안하기도 했다. 하지만 새로운 언어를 잘 습득하기 위해서, 그리고 다양한 현장에서 통역 업무를 담당하기 위해선 어느 정도 적극성이 꼭 필요하다.

내가 '고기' 공약을 내건 이후 수업 시간에 발표자가 많이 늘었고 가장 소극적이던 학생들도 달라진 모습을 보이기 시작했으니 좋은 자극이 된 것은 확실하다. 무엇보다 전체적인 수업 집중도가 높아졌다.

그리고 이렇게라도 학생들에게 뭔가를 해주고 싶었다. 같이 밥 먹자고 해도 "괜찮아요!" 하며 도망가는 아이들, 선생님이 큰돈 쓸까 봐 눈치 보는 아이들에게 부러 내가 해주고 싶은 것을 다 해줄 수 있는 날을 만든 것이다. 그간 수업에 열심히 참여했으니 이 정도는 받아도 된다며 기도 팍팍 살려 주고 맛난 것도 먹이고 싶었다.

오늘 만난 학생들은 모두 자취하는 애들이다. 잘됐다 싶어 고기를 실컷 먹이려고 했는데 고작 한 판 굽고 나니 그만 먹어도 된다며 두 손을 내저었다. 고깃값이 많이 나올까 봐 걱정이 돼서 그러나 싶었는데, 빈말이 아니라 진심인 모양이었다. 정말 이것밖에 못 먹다니….

언제나 느끼는 거지만 베트남 사람들은 배가 작다. 물론 사람 나름이겠지만 베트남에서 나보다 많이 먹는 사람을 본 적이 없다. 생각만큼 많이 먹이지 못해 아쉬운 마음이 들었지만 고기를 구울 때부터 연신 사진을 찍어대고 기뻐하는 모습을 봤으니 그거면 됐다 싶었다. 애들이 만족했으면 된 것이다.

고기를 먹고 나서 이대로 헤어지기는 아쉬워 카페에 갔다. 학생들은 내가 비싼 저녁을 샀으니 음룟값은 자기들이 내겠다며 서둘러 지갑을 꺼냈다. 종업원에게 "얘들은 학생이고 제가 선생님이에요"라며 얼른 계산했다. 오늘은 선생님이 다 쏘는 날이니까 고집부리지 말라고 등짝을 때리니 아이들이 배시시 웃었다.

막상 만나면 무슨 말을 해야 할까 고민했는데 의외로 어색할 틈이 없었다. 서툴지만 신나게 한국어로 얘기하는 모습을 보면서 이것 또한 나의 역할이란 생각이 들었다. 아르바이트하랴 공부하랴 바쁜 아이들에게 맛난 밥 한 끼 사주는 것. 같이 시간을 보내며 한국어로 말할 기회를 주는 것. 아이들의 고민을 들어주는 것. 가능하다면 그 고민을 해결할 수 있게 도와주기도 하는 것. 가만 보면 굳이 대단한 활동을 하지 않더라도 내가 할 수 있는 일이, 해야 하는 일들이 참 많다.

학생들과 얘기하다 보면 으레 한국엔 언제 돌아가느냐는 질문이 나온다. 활동 기간을 연장할 가능성이 아예 없는 것은 아니기에 내년 8월이나 내후년 8월쯤 될 거라고 얘기했더니 당황한 표정을 지었다. 그러더니 내후년에 가면 좋겠다고 말했다.

요즘 들어 동료 강사들이 활동 기간 연장 의사가 있는지 묻고, 한국에 있는 지인들도 언제 돌아오느냐고 자주 묻는데, 그럴 때마다 고민이 많아진다. 전에는 사람 일 모르는 거라며 "아직은 마음이 없는데 혹시 모르지" 하고 막연하게 답했던 것을, 지금은 보다 구체적으로 고민하고 있다.

1년은 내게 중요한 시간이다. 그저 한국에 돌아갈 준비가 되지 않아서 연장을 한다면 미련한 짓이다. 하지만 내가 고민하는 것은 그런 게 아니다. '과연 내가 이 아이들에게 정말 도움이 되고 있는가' 하는 본질적인 문제다. 만약 내가 떠난 후 나보다 더 좋은 강사가 오게 된다면 욕심부리지 않고 떠나는 게 옳다. 반대로 학생들이 나를 진정으로 원하고 내게 더 배우고자 한다면 1년 정도는 더 머물러도 괜찮을 것이라는 생각이 든다.

비록 지갑은 가벼워졌으나 마음은 두둑해진 오늘. 요 며칠은 그런 날들의 연속이었다. 신기하게도 이런 날에는 잠이 잘 온다.

휘몰아치던 한 학기가 이렇게 끝나간다.

다낭 날씨는 당신의 기분같아서

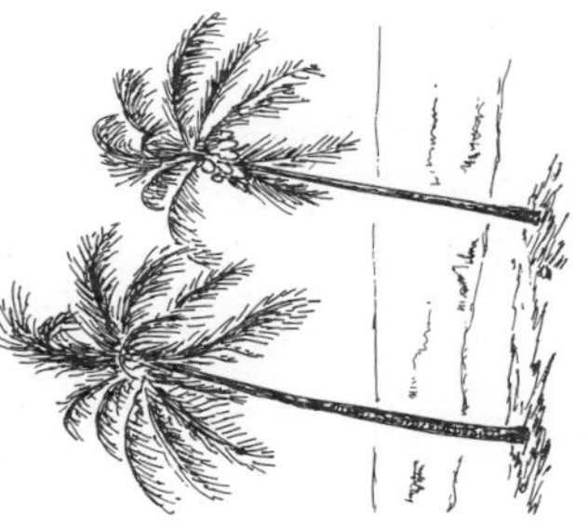

내가 원하는 대로 모든 것이
딱딱 맞아떨어지지는 않았지만,
세상사가 다 그런 걸 어쩌겠나.

네 번째,

시선을 밖으로

말하기 어려운 꿈

학생들이 SNS를 통해 한국어 관련 문의를 해 오는 경우가 종종 있다. 문법이나 어휘에 대한 질문도 있지만 글 교정 문의가 가장 많다. 아르바이트하며 메뉴판 번역을 부탁하기도 하고 계약서나 이력서 확인을 요청하기도 한다.

종종 대회 원고 교정 문의도 받는다. 읽어 보면 대부분 그럭저럭 잘 쓴 글이지만 대회 원고로는 어울리지 않는다는 판단이 들 때가 있다. 일단 소재가 좋으면 작문 실력이 조금 부족해도 고쳐 나갈 수 있다. 하지만 작문 실력은 좋은데 글감 자체가 평범하면 참 안타까울 때가 많다.

아무리 한국어에 능숙하고 문법적으로 정확한 문장을 쓴다 한들,

그 내용이 특별하지 않으면 좋은 성적을 기대하기 어렵다. 그래서 눈치 있는 학생들은 다른 사람들과는 차별화된 소재를 택하거나 자신의 이야기를 조금 포장하기도 한다.

예를 들어 글의 주제가 '나의 꿈'이라고 하면, 자신의 30년 후 모습까지 원대하게 그려내는 학생들이 있다. 실제로 그런 계획을 갖고 있는 것인지 아니면 대회 출전을 위해 급조한 것인지는 모르겠으나 이런 경우 더 높은 점수를 받는다.

감동을 주는 극적인 전개도 유리하다. 특히나 한국어 능력 평가이기 때문에 한국어 공부와 관련된 원대한 꿈을 소개하면 더 좋은 성적을 받을 수 있다. 꿈이 없던 시절 한국 드라마를 보며 꿈을 키우게 됐다거나, 어떤 한국인과의 특별한 만남을 계기로 한국어 공부를 시작하게 됐다는 식의 사연을 담는 것이다.

그러고 보면 우리 학생들에게 '나의 꿈'은 딱히 할 만한 얘기가 없는 주제일 수밖에 없다. 당장 취업만이 가장 큰 목표인 학생들에게 자신의 원대한 꿈을 소개해 보라고 하는 것은 가혹한 일일 수 있다. 당장 눈앞의 1년이 급급한데 그 이후를 그려 볼 여유가 있겠느냔 말이다. 그러니 학생들의 글은 도돌이표를 단 것처럼 '돈을 많이 벌겠다' 혹은 '행복해지고 싶다'는 말만 반복하다 끝날 뿐이다.

대회 준비를 위해 학생들이 작성한 원고를 읽어 보면 마음이 답답해진다. 너무 순수한 건지 아니면 이게 대회라는 것을 망각한 건지 자신의 이야기를 가공하거나 부풀리지 않고 있는 그대로 쓴 경우가 많다. '부모님께 집을 사 드리고 평생 같이 행복하게 사는 게 꿈이다' '회사원이 돼 열심히 일하고 남편과 베트남의 아름다운 곳에 다 가보고 싶다' '열심히 돈을 모아 가족과 꼭 한번 한국을 여행하겠다'….

무엇 하나 보태지 않은 진심이고 현실적인 목표지만 대회에서는 이런 평범한 꿈을 높게 평가하지 않는다. 그렇다고 수상을 위해 거짓말을 하거나 없는 꿈을 억지로 만들어 내라 할 수는 없으니 나로서는 답답한 노릇이다. 그간의 대회 수상작을 보여 주며 평가 기준을 알려 주고 나면 그 뒤는 각자의 선택이다. 변함없이 '정직한' 글을 고수하는 학생들은 수상 대신 한국어 실력 향상을 목표로 지도할 수밖에 없다.

제발, 먹고살기 바쁜 아이들에게 꿈 좀 그만 물어보면 안 될까?

까만 피부가 싫다는 아이들

여름이 왔다. 하루의 시작을 '덥다'는 말로 하게 된다. 덥다, 정말 덥다…! 아니, 따갑다! 출근하려고 오토바이 택시를 타면 팔다리가 따끔거린다. 햇볕이 워낙 강하기 때문에 긴 팔에 레깅스를 입고 나와도 피할 수 없다. 자주 노출되는 발이나 손등은 벌써 거뭇거뭇하다. 평소엔 잘 바르지 않던 선크림도 요새는 챙겨 바르게 된다.

그래서 오늘도 완전 무장을 했다. 바람막이부터 마스크, 선글라스, 레깅스, 햇빛 가리개, 치마까지 동원해 온몸을 보호한다. 이 모습을 하고 교정에 들어서면 열에 아홉은 내가 누군지 몰라 무시하거나 갸웃거리기 일쑤다. 내가 먼저 인사를 건네면 '재는 누군데?' 하는 표정을 짓다가 이내 빵 터진다.

"선생님, 베트남 닌자* 리더 같아요!"

* 베트남에서 운전이 미숙한 오토바이 운전자를 일컫는 신조어. 교통 흐름을 방해하거나 민폐를 끼치는 운전자들이 닌자처럼 얼굴과 온몸을 다 가린 채 운전하는 경우가 많아 '베트남 닌자'라는 별칭이 붙었다.

현재 베트남에는 '피부 하얀 사람이 예쁘다'는 인식이 팽배해 있다. 그래서 아이들 모두 살 타는 것을 꺼린다. 베트남에 살며 놀란 것 중 하나가 무더운 여름날에도 두꺼운 외투를 입는다는 점이다. 혹자는 이것이 몸의 열을 낮추는 방법이라 말한다. 얇은 옷보다 더 짙은 그늘을 만들어 주고, 바람이 불면 땀이 식어서 시원하게 느껴진다는 것이다. 하지만 우리 학생들 입에서 나온 주된 이유는 '살이 탈까 봐'였다.

무더운 날 교실에 들어가면 아이들이 내뱉는 숨과 열기로 공기가 후끈후끈하다. 창문을 닫아 놓으니 바람이 통하지 않아서 더 덥다. 하지만 내가 창문이라도 열라치면 아이들은 손사래 치며 막는다. 아무리 더워도 커튼을 치는 건 눈이 부셔서이기도 하지만 무엇보다 피부가 타는 것이 싫어서다.

베트남의 여름철 햇볕은 잠시만 쬐어도 시력이 저하되고 피부에 기미가 생길 정도로 강렬하다. 제대로 가리기 힘든 손등과 발등은 오토바이 뒷좌석에 2~3분만 타고 있어도 따끔따끔. '이러다 무슨 일이 생기는 건 아닐까' 싶을 만큼 화끈거린다.

베트남 사람들은 잘 웃는 편인데도 미간에 깊이 파인 주름 때문에 조금 사나워 보일 때가 많다. 햇빛에 눈이 시려서 저도 모르게 얼굴을 찡그리는 것이다. 길에서 잔뜩 인상을 쓰고 있는 어르신들을 볼 때면 짠한 마음이 든다. 잘 몰랐을 때는 왜 저런 표정을 짓고 있나 싶었는데 여름을 겪어 보니 이제 이해가 간다. 나 역시 선글라스를 끼지 않으면 길을 걷는 내내 미간이 찌푸려진다.

요즘은 눈길 가는 곳마다 마음이 따라간다. 바람 한 점 안 통하는 시장에서 물건 파는 아주머니들을 봐도 그렇고 땀 흘리며 육수를 뜨는 식당 주인을 봐도 그렇다. 우리 학생들의 어머니나 아버지일 수도 있는 그분들이 덜 고생했으면 싶고 애틋한 마음도 든다.

이 더위가 얼른 끝났으면 싶지만, 날이 더워야 과일이 익고 장사도 잘되니 여름이 끝나길 마냥 바랄 수도 없다.

내 안의 모순

아침부터 몸이 아팠다. 학교에 가기 싫어서 온몸이 반항하는 거라고 여겨질 만큼 컨디션이 좋지 않았다.

개강이 두렵다. 지난 학기처럼 씩씩하게 활동할 기운이 나지 않는다. 지난여름, 방학 때 고향에 돌아가지 않는 학생이 많다는 것을 알고 한국어 동아리를 열었다. 베트남에 오래 있을 수 있는 것도 아니니 시간 될 때 학생들에게 도움 되는 일을 더 하고 싶었다. 두 달간 운영한 동아리는 총 여섯 개. 지난 학기에 된통 당한 경험이 있어 반마다 열 명씩만 받을 테니 꾸준히 참석할 마음이 없다면 다른 사람을 위해 신청하지 말라고 사전 공지까지 했었다.

그랬건만 신청 후 얼굴 한 번 못 본 학생이 많았다. 고질적인 문제다. 의욕은 높지만 꾸준함이 없는 것. 자기들 맘대로 지각하고 결석해 버린다. 다음 주는 좀 낫겠지, 사정이 있는 거겠지 하며 기다려도 여름 방학 내내 같은 일이 반복됐다. 학생이 한 명만 나오더라도 수업을 하는 게 강사의 자세라고 생각해 왔지만 학생들이 연락 없이 나타나지 않을 때는 기운이 쏙 빠졌다.

좋은 강사란 인내심을 갖고 학생을 대해야 하며 엄마 같은 사랑을 주어야 한다고들 한다. 그런데 나는 아직 애도 안 낳아 본 스물여덟. 그러니 자주 삐치고 화가 났다. 어리니까 어쩔 수 없다는 자기 합리화가 창피해져 마음을 고쳐먹으려 했지만 쉽지가 않았다. 나처럼 쉽게 감동하는 사람은 으레 그만큼 쉽게 실망하고 분을 내기 마련이다.

봉사활동은 자기만족인 것을. 만족이 없으면 사랑이라도 있어야 하는데 지금 같아선 다 싫다. 왜 이렇게 기운이 빠진 건지 생각해 보니 나는 학생에게도 주는 만큼 받고 싶어 하는 철없는 강사였던 것 같다. 공들여 수업을 준비한 날에 학생들 반응이 안 좋으면 마음이 상한다. 반대로 힘을 좀 빼고 대충 준비한 날에는 마음이 덜 상한다. 내가 생각해도 웃긴 일이다.

파견 전 국내교육원에서 봉사의 정의를 내리는 시간에 나는 '그림자'라는 단어를 사용했었다. 다른 이들이 빛나도록 보이지 않는 자리를 지키는 것, 그것이 봉사자의 자세라고 믿었다. 하지만 어느 순간 내가 드러나고 싶은 마음이 든다. 누군가 내 수고를 알아주었으면 하고 '애썼다'는 말 한마디 해주기를 바란다. 더 주목받고 칭찬받고 싶은 마음과 뒤에서 가만히 헌신하는 게 내 역할이라는 생각 사이에서 갈등이 일어난다.

슬럼프와 1주년

내가 처음 다낭에 도착한 때는 본격적인 우기가 시작하기 몇 주 전이었다. 하늘은 맑다가도 금세 비를 뿌렸고 며칠 동안 푹푹 찌다가 예측할 수 없는 순간에 갑자기 찬바람이 불었다.

하루는 무슨 날씨가 이럴까 싶어 하늘을 쳐다보고 있는데, 기관 동료가 말했다.

"선생님, 다낭의 날씨는 사람의 기분 같아요."

당시에는 웃어넘긴 말이 내 단원생활의 예고편이 될 줄은 몰랐다.

작년과 올해, 감히 '나 자신과 펼친 투쟁의 시간'이라 말할 수 있을 만큼 감정이 요동쳤었다.

현장은 내가 꿈꾸던 것과 달랐으며, 그 속에서 나 역시 중심을 잡지 못해 휘청거릴 때가 많았다. 그럼에도 마음을 다잡을 수 있었던 건 책 덕분이다.

KOICA 사무소에 갈 때마다 책을 빌려 왔다. 국제개발협력 관련 서적부터 NGO 활동가의 수기집, 수필, KOICA 봉사단원의 활동경험담까지…. 내 마음에 위안이 될 것 같은 책은 닥치는 대로 읽었다. 그렇게라도 지키고 싶었다. 그게 사람에 대한 기대감이든 소망이든 사랑이든 간에…. 그래서 자주 넘어졌지만 그만큼 다시 일어나 나아갈 수 있었다.

2018년 8월 14일. 하나뿐인 동기가 베트남을 떠나던 날, 학교는 개강을 했고 나는 홀로 1주년을 맞았다. 축축 처지는 몸을 억지로 끌고 나가서 한 첫 수업은 생각보다 재미있었고 다시금 움직일 원동력이 됐다. 학생들 때문에 지지고 볶지만, 결국은 학생들을 만나 힘을 얻는다.

베트남 생활에 자꾸만 지쳐 가는 요즘, "썬쌤님!" 하고 나를 부르는 학생들의 다정하고 낭랑한 목소리를 들으며 다시금 힘을 내 본다.

다시 또 1년, 감사히 보내야지.

KOICA 협력활동: 꽝쏘공1

새벽 3시 야간열차를 탔다. 침대칸 1층에는 바퀴벌레가 있다는 말에 걱정했는데, 밤중이라 못 본 건지 아예 없었던 건지 다행히 바퀴벌레는 나오지 않았다. 다만 베트남에서 기차를 타는 게 처음인 데다 혹시 자다가 못 내리면 어쩌나 긴장이 돼 푹 잘 수는 없었다.

나는 거의 뜬눈으로 밤을 새우다시피 하고 '동하'역에 내렸다. 다낭보다 더운 날씨 때문에 낯선 곳에 왔다는 사실을 실감할 수 있었다.

오늘의 목적지인 '꽝찌성 사회 보장 요양센터'는 기차역에서 차로 20분을 더 달려가야 닿을 수 있었다. 부모님이 안 계신 아이들이나 편부모 가정의 아이들, 학교에 다니기 어려운 산골 동네 아이들이 모여 지내는 곳이다. 나와 비슷한 또래인 KOICA 청소년 개발 단원이 파견돼

활동하고 있는데, 그 단원과 이곳에서 첫 협력활동을 해 보기로 했다.

지난여름 나는 줄곧 지쳐 있었다. 마음속에는 사랑과 미움이라는 양가감정이 자리싸움을 했다. 아이들이 예뻐 뭐라도 더 해주고 싶으면서도 때때로 얄미움을 느끼고 아이들에게 실망할 때도 있었다. 또 한 가지 큰 문제는 내가 하는 일에 싫증을 느낀다는 것이었다. 매일 직장에 다니듯 출퇴근하고, 경쟁 구도 속에서 학생들의 높은 성적을 위해 수업하는 것은 내가 꿈꿔 온 봉사의 모습이 아니었다.

해외에서 봉사한다고 하면 대부분 고생하며 지내는 줄 알지만 딱히 그렇지도 않다. 물론 나라마다 지역마다 상황이 다르다. 어떤 단원은 집에 세탁기가 없어서 매주 손빨래를 해야 하고, 잦은 정전으로 냉장고 속 음식이 상할까 봐 노심초사하기도 한다. 나는 다른 개발도상국보다 인프라가 잘 구축된 베트남, 그것도 외국인 많고 한국인 많은 다낭에 왔으니 생활하며 불편한 것이 별로 없었다. 그런데 오히려 그래서 더 이곳 생활에 대해 고민이 많았다. 당장 몸은 편해도 순간순간 '한국에서와 다름없이 산다면 굳이 해외봉사를 나온 의미가 뭘까?' 하는 생각이 들곤 했다.

내 인생 첫 해외봉사는 남미에서 지진으로 집을 잃은 사람들에게 무료로 집을 지어주는 '집짓기 운동(TECHO: Un Techo para mi País)'이었다. 네댓 명이 한 조가 돼 각 가정에 배치되면 그때부턴 말 그대로 죽어라 하고 땅 파고 망치질을 하는 육체노동이 시작됐다. 3박 4일 동안 학교의 빈 교실을 빌려서 남녀 할 것 없이 침낭을 깔고 잤고, 물을 아껴야 해서 머리도 못 감고 지냈다. 집터가 언덕에 있어서 나무

널빤지를 어깨에 이고 가다가 넘어질 뻔한 적도 있었다. 그래도 서로를 격려하며 일하다 보니 웃음과 노래가 끊이질 않았다. 내가 해야 할 일이 명확하게 정해져 있으니 딱히 다른 고민을 할 필요도 없었고, 활동의 성과가 즉시 눈에 보이니 보람도 컸다.

하지만 냉정하게 생각해 보면 그때는 단기간에 많은 일을 했기 때문에 기억이 더 강렬하게 남는 것일 수도 있다. 만약 내게 1년 내내 그렇게 헌신하라고 했다면, 나는 일찍이 짐 싸 들고 도망갔을지도 모른다. 그럴 자신도 없으면서 내가 꿈꿔 온 활동과 다르다고 떼쓰는 꼴이라니…. 정말 한심한 일이었다. 하지만 어쩔 수가 없었다. 나는 더 이상 이곳의 활동에 신이 나지 않았다.

마음을 다잡을 겸 국내교육원에서 작성했던 나의 봉사활동 계획서를 다시 읽어 보았다. 기회가 되면 파견된 기관뿐만 아니라 지역 사회를 위해서도 활동하고 싶다는 포부가 적혀 있었다.

그간 학생들에게 혹시 봉사활동을 다니는 사람이 있으면 나도 그 활동에 끼워 달라고 부탁했었다. 그런데 아무도 연락을 해 오지 않아서 '현지 사람들끼리 하는 봉사활동은 없나 보다' 하고 마음을 접었었다. 어쩌면 나는 내가 먼저 나서기는 싫고 남이 만들어 놓은 프로그램에 편히 참여만 하고 싶었는지도 모른다. 그렇게 미루고 미루는 마음이 내게 무기력을 안겨 준 것일지도….

기회는 기다리면 찾아오기도 하지만 때론 스스로 만들어야 할 때도 있다. 그렇다면 바로 지금이 '그때'가 아닐까. 나는 나 자신을 위한 기회를 만들어 보기로 했다. 그렇다면 우선 누구를 위해, 어디서, 무엇을 할지 결정해야 했다.

나의 결심을 몇몇 단원들에게 얘기하던 중 다낭과 가까운 중부 도시에 사회복지 분야 단원이 있다는 것을 알게 됐다. 후에 그 단원을 만나 내 뜻을 전했더니 곧바로 협력 의사를 밝혀 왔다. 적절한 때에 마음 맞는 사람을 만난다는 것은 정말 감사한 일이다.

KOICA 협력활동 프로그램을 정식으로 신청하자는 얘기가 나왔지만 일을 크게 벌이고 싶지는 않아 고민됐다. 문서 작성하랴 영수증 처리하랴, 서류 업무만으로도 지칠 것 같아 가능하면 안 하고 싶었다. 하지만 다양한 활동을 하려면 예산이 더 필요할 테니 우선 계획안은 올려 보되, 사업 승낙이 떨어지지 않으면 사비로 활동하기로 했다.

활동 방안을 논의하던 중 대상 기관의 아이들이 한국어를 배우고 싶어 한다는 소식을 듣게 됐다. 그 얘기를 듣고 나니 우리 학교 학생들이 봉사자로 참여해 아이들에게 한국어를 가르치면 좋겠다는 생각이 들었다. 가르치는 것이 최고의 학습법이니 학생들에게도 도움이 될 테고, 기관 아이들과 눈높이가 맞아 좀 더 쉽고 재미있게 가르칠 수 있을 것 같았다.

구체적인 활동 계획을 짜기에 앞서 일단 기관에 한 번 방문해 보기로 했다. 출발하기 전, 간단한 한국어 교육과 손 씻기 교육을 준비하고 아이들에게 줄 간식도 골랐다.

기차역에는 함께 협력활동을 하기로 한 G단원이 마중 나와 있었다. 다낭에서는 콜택시 앱으로 택시를 부를 수 있는데 여기엔 그런 게 없기 때문이다. 이 도시에서 택시를 부르려면 택시 회사에 전화하거나 기사님 번호를 따로 저장해 두어야 한다. 우리가 활동하게 될 마을에는 마트도 없어서 G단원은 매번 시장에서 장을 보거나 주말에 기차역 부근까지 나와야 한다고 했다. 내가 익숙하게 여기던 것들이 부재한 이곳에서 나는 불편함보다는 부끄러움을 느꼈다. 그동안 얼마나 겸손하지 못한 마음으로 살아왔는지 되돌아보게 됐다.

기관 아이들은 낯을 가리면서도 나를 신기해했다. 아이들과 함께 오렌지를 나누어 먹고 한국어 수업을 했다.

G단원이 아이들을 부르거나 바라볼 때 그 시선에서 사랑이 느껴졌다. 원활하게 말이 통하지 않더라도 그런 마음을 전할 수 있다는 게 참 신기했다. 그런 것은 자연스레 티가 난다는 걸 느꼈다. 문득 우리 학생들 생각이 났다. 나는 그 애들을 어떤 눈빛으로 바라보고 있을까.

KOICA 협력활동: 꽝쏘공2

학생들과 함께하는 봉사활동은 늘 꿈에 그리던 것이었다. 나에게 한국어를 배우는, 말 그대로 KOICA 봉사활동의 '수혜자'인 제자들이 다시 '봉사자'가 되는 것이야말로 봉사활동의 선순환이라 생각했다.

내가 활동하고 있는 베트남 중부 지역은 월남전으로 가장 큰 피해를 본 곳이다. 그때의 아픔을 위로하려는 듯 해마다 한국 의료진과 대학생들이 다낭에 와서 봉사 프로그램을 진행한다.

한국어 공부를 하는 베트남 학생들 대부분은 한국인들과 함께하는 봉사활동에 관심이 많다. 좋은 일을 한다는 만족감은 물론이요, 통역비 명목으로 일당을 받으며 젊은 한국 봉사자들과 대화할 기회도 얻을 수 있기 때문이다. 또한 현장 통역 경험은 한국 회사에 입사지원서를 넣을 때 경력으로 인정받기도 하니 여러모로 이득이 많은 활동이다.

그래서 학생들은 매년 '봉사자 선발 모집 공고'를 기다린다. 하지만 통역비를 지원하는 봉사단체는 베트남인 봉사자에게 적정 수준 이상의 한국어 실력을 요구한다. 다시 말해 봉사 프로그램에 참여하고 싶어도 한국어 실력이 부족해서 지원하지 못하는 학생들이 많다는 것이다.

그런 상황을 알고 있던 나는 봉사활동에 관심만 있다면 학생들 누구에게나 참여할 기회를 주고 싶었다. 그래서 내가 계획하는 봉사활동 소식을 다낭외대 학생들에게 알리고 참여자를 모집했다. 나는 무책임하게 봉사활동 당일에 안 나오는 일이 없도록 성실하게 참여할 학생들만 지원해 주기를 바랐다. 그래서 일부러 학생들에게 내가 계획하는 봉사활동의 어려운 점을 더 상세히 얘기했다.

'이번 봉사활동은 한국 대학생들이 준비하는 것처럼 규모가 크지 않다. 레크리에이션 시간도 없고 한국인이라고 해 봐야 KOICA 단원 몇 명이 전부다. 숙박비를 아끼기 위해 모든 활동은 당일치기로 진행할 예정이니, 현장에서 같이 머물며 추억을 쌓을 시간도 없을 것이다. 활동에 대한 보수도 없고, 오히려 각자 몫의 교통비와 식비는 봉사자 스스로 부담해야 한다. 무엇보다도 우리가 봉사활동을 할 곳은 다낭에서 기차를 타고 4시간이나 가야 하는 곳이다. 최소 3개월 이상 방문할 예정이니 꾸준히 참여할 수 있는 사람만 지원해 줬으면 좋겠다.'

이 모든 것을 감수하면서까지 봉사활동을 하겠다는 학생이 얼마나 될까 싶었는데 생각보다 신청자가 많았다.

KOICA 사무소에 제출한 협력활동 가안도 때마침 통과됐다. 예산안과 몇 가지를 보완해 최종 제출하기로 하고 보육원에 한 번 더 방문했다. 갈 때마다 아이들이 낯을 덜 가리는 게 느껴졌다.

우리의 활동 이름을 무엇으로 할까 하다가 '꽝쏘공(꽝찌에서 쏘아올린 작은 공)'으로 정했다. 소소하게 시작된 우리의 선행이 베트남 곳곳에 퍼지길 바라는 마음에서다.

이후 우리의 소식을 전해 들은 몇몇의 다낭 교민과 KOICA 단원들, KCOC(국제개발협력민간협의회) 단원이 참여 의사를 밝혀 왔다. 모든 게 순탄하게 진행되는 느낌이었다. 그런데 그즈음 G단원에게서 연락이 왔다. 꽝찌 활동기관을 떠나게 됐다는 거였다.

꽝찌 보육원에는 G단원을 비롯해 보건·교육·요리를 담당하는 베트남 직원들이 있다. 그럼에도 아이들이 제대로 보살핌을 받지 못하는 것을 보며 G단원은 많이 힘들어했다. 그렇다고 해서 현지 직원들에게 '아이들에게 조금 더 신경 써 달라'는 얘기를 하기에는 조심스러울 수밖에 없었다. 유교사상이 강한 베트남에서는 젊은 여성의 발언권이 가장 약한데, G단원은 기관에서 가장 어린 여직원이었기 때문이다. 그렇다 보니 기관에서 G단원이 아이들의 생활 개선을 위해 내는 의견들은 대부분 받아들여지지 않았다.

처음 G단원과 내가 협력활동을 계획했을 때, 우리는 이것이 하나의 돌파구가 될 것이라고 생각했다. 외부인인 KOICA 단원들이 보육원 아이들을 위해 헌신하는 모습을 보면 기관 직원들도 자극을 받아 아이들을 더 신경 쓸 것이라고 기대했다. 마침 기관장도 우리의 활동 계획을 반기면서 노후시설 보수 작업을 요청하는 등 적극적인 태도를 보였다.

그러나 본격적인 활동 준비가 시작되자 기관의 협조는 잘 이루어지지 않았고, 아이들을 향한 G단원의 열심은 오히려 현지 직원들과의 불화로 이어졌다고 했다. 변하지 않는 기관 사람들의 태도에 낙심한 G단원은 결국 활동기관을 변경하기로 결심한 것이다.

앞으로 협력활동을 같이 못 할 것 같다는 그의 말에 나는 온몸의 힘이 풀렸다. G단원은 내게 협력활동을 계속 추진할 것인지 물었다. 이런 상황에서 뭘 할 수 있을까 싶어 쉽사리 답이 나오지 않았다.

'단원이 없는 기관에서 활동이 원활히 진행될까?' 소통은 누가 할 것이며 피드백과 후속조치는 어떻게 해야 할지 막막함이 앞섰다. 머리도 마음도 복잡했다. 그런 가운데 '그래도 해야 한다'라는 결심이 섰다. 지난번 기관에 방문했다 돌아오기 전, 헤어지기 싫다며 슬퍼하던 아이들에게 '다음 달에 올게!' 하고 약속했던 게 생각났기 때문이다.

이렇게 예고 없이 활동을 취소하면 아이들이 실망할까 봐, 나 때문에 마음의 상처를 입어 사람에 대한 신뢰를 잃게 될까 봐 염려됐다. 아무리 상황이 어렵다 한들 이미 나와 인연을 맺은 아이들을 어찌 포기하겠나 싶었다.

활동을 그대로 추진한다는 가정하에, 앞으로 어떻게 일을 진행하

면 좋을지 생각해 보았다. 예산과 계획안은 거의 완성됐으니 G단원이 맡고 있던 역할은 내가 이어받으면 될 것 같았다. KOICA 협력활동은 활동 인원이 최소 2명 이상이어야 신청할 수 있지만, 만약 함께할 단원이 없다면 사비로 활동하면 될 일이었다.

그런데 딱 하나, 기관에서 요청한 시설 개선비용이 마음에 걸렸다. 단원의 생활비로 해결할 수 있는 금액이 아니었다. 상황이 여의치 않으니 거절할 수도 있겠지만 그곳에서 생활하는 아이들을 생각하면 못내 마음에 걸렸다.

불이 들어오지 않는 화장실, 삐거덕대는 창문, 전구가 나간 식당,

KOICA 협력활동: 꽝쏘공

개미가 들끓는 밥…. 그 기관의 직원들은 오후 3~4시쯤 아이들의 저녁식사를 미리 준비해 두었는데, 음식을 보관하는 캐비닛 곳곳이 깨져 있어 밥에 개미나 벌레가 들어가기 일쑤였다. 그런 것을 보면 화가 났지만 외부인 주제에 잘 좀 관리하라고 말하거나 캐비닛을 새로 사라고 요구할 수는 없었다. 나는 이 기관에서 활동하는 단원도 아니고 나이가 많은 어른도 아니니까. 그저 당황한 얼굴로 "밥에 개미가 있어요" 하고 일러주는 것밖에는 내가 할 수 있는 것이 없었다.

속상했지만 그곳 직원들도 이해가 됐다. 대가를 받고 일하는 사람들이니 약속된 시간에 정해진 일만 하면 되는 것이다. 일 마치면 집에 가서 가족들 먹일 밥도 차려야 할 텐데, 저녁시간이 될 때까지 퇴근도 못 하고 밥이 멀쩡한지 지켜볼 수는 없지 않은가. 그분들이 나이팅게일도 아닌데 정해진 역할 그 이상의 헌신과 희생을 요구할 수는 없다.

입장을 바꿔 생각해 봤다. 나는 고작 한 달에 한 번 기관을 방문할 뿐이니 그만큼 많은 에너지를 쏟아부을 수 있다. 하지만 만약 일주일에 6일 이상 아이들과 함께 시간을 보낸다면? 그때도 지금의 열정을 유지할 수 있을까? 1년 내내 같은 태도로 근무할 수 있을지, 아이들에게 필요한 것을 안다고 해서 다 채워 줄 수 있을지 감히 자신할 수 없다. 그러니 그들의 상황을 이해하려 노력할밖에는….

나는 아이들에게 깨끗한 생활환경을 제공하고 싶었다. 그래서 이미 기관으로부터 견적서도 받아 둔 상태였다.

나랏돈을 쓰게 되는 일인 만큼 견적서를 더 꼼꼼하게 확인했다. 기관에서 작성한 견적서의 금액은 우리가 직접 조사해 본 것과 크게 다르지 않았다. 그래도 혹시 몰라 사무소에 조언을 구한 뒤 지원 승낙을 받은 상황이었다.

협력활동을 같이하기로 한 동료 단원들에게 현재의 상황을 전하고 참여 의사를 물었다. 나는 동료들에게 처음부터 아이들 때문에 활동을 시작하게 된 거고, 지금도 기관에 아이들이 있으니 할 수만 있다면 계속 이 활동을 진행해야 한다고 의견을 냈다.

하지만 대부분은 '계속 진행하기 어려울 것 같다'고 했다. 활동하는 단원이 없는 기관과 소통하며 의견을 조율하기 어려울 뿐 아니라 협력활동을 위해 구입하는 물품을 책임지고 관리할 사람이 없으니 자칫 예산 낭비가 될 수 있다는 것이 그 이유였다. 그 말도 맞았다. 어쩌면 애초에 다낭에서 4시간이나 걸리는 꽝찌에서 활동을 하기로 한 것 자체가 비효율적인 일인지도 모른다. 가까운 곳에도 도울 사람이 많은데 반드시 그 먼 곳까지 가야 할 이유는 없다.

하지만 여기서 멈춘다면, 우리가 다른 기관을 다시 찾아보게 될까? 여기서 멈추면 이대로 끝날 가능성이 클 것 같았다. 몇 만 달러를 들여 건물을 지어 놓고 완공 후에 그냥 방치되는 시설도 많은데, 그렇게 애먼 데에 돈을 쓰는 것보다는 활동 계획이 확실한 여기에 쓰는 게 낫지 않을까 싶었다. 건물 짓는 돈의 몇십 분의 일이면 마흔 명의 아이들이 당장 웃을 수 있는데….

고맙게도 꽝찌의 J단원이 함께해 준다고 하여 KOICA 협력활동을 신청해 볼 수 있게 됐다.

J단원과 둘이서만 활동해도 되지만, 다른 동료들이 걱정하는 문제의 해결책도 생각해 보기로 했다. 참여할 마음이 없는 게 아니라 활동 중 생길 수 있는 문제나 어려움에 대해 걱정하는 거니까. 방법을 찾는다면 충분히 설득할 수 있을 것 같았다.

1. 물품 관리 소홀: 활동 물품을 기관에 보관해도 잘 관리가 될지, 중간에 분실되지는 않을지 걱정이다.

→ 추후 보육원에 다른 단원이 파견될지 KOICA 사무소에 확인해 보고 파견 예정일 경우 후임 단원에게 인계한다. 만약 단원 파견 계획

이 없다면 보육원에 매월 점검표를 작성해서 보낼 것을 요구하고, 관리 미흡이 확인될 경우 다른 기관에 증여하도록 한다. 혹은 시설 보수비용은 지원하되 그 외 예체능 활동과 보건 교육을 위한 항목(스케치북, 물감, 붓, 스티커, 공책, 연필, 지우개, 손 세정제, 비누 등)은 소모품으로 구입하여 단원들이 활동할 때만 쓰고 기관에는 물품을 남기지 않는 방법도 있다.

2. 기관과의 연락망: 기관 소속 단원이 없으니 기관과 소통하기가 어렵다.

→ 기관 내에 협력활동 담당자를 지정해 활동 전후로 연락을 주고받는다. 필요시 다낭외대 학생들에게 도움을 받을 수 있다. 별도로 기관 아이들 가운데 한 명과 연락망을 만들어서 우리가 언제 무슨 활동

을 할 것인지 기관과 아이들 양쪽에 미리 알려준다.

3. 기관 협조: 활동에 잘 협조해 주지 않는 기관이라면?

→ 봉사활동을 하는 날이 토요일이므로 기관 협조는 크게 필요치 않다. 우리가 방문하는 날에 다른 일정을 잡지 않는 것과 필요한 공간을 사용하게 해주는 것, 이 두 가지만 지켜 주면 보육원 직원들의 도움 없이도 활동을 해 나갈 수 있다.

이렇게 대안을 짜서 단원들에게 전했다. 다시 참여의사를 물었더니 원래의 멤버들 모두 참여하겠다고 했다. KOICA 사무소에 최종 계획안을 제출하고 활동을 승인받았다. 짱찌 보육원에서는 협력활동이 계속된다는 것에 감사를 표해 왔다. 그렇게 우리의 협력활동이 시작됐다.

KOICA 협력활동: 꽝쏘공3

[2018년 10월]

새벽 5시 30분. 알람 소리에 일어나 씻고 나갈 채비를 했다. 따뜻한 물로 샤워하는데도 오한이 났다. 보육원 가는 길, 선잠에 들었다 눈을 뜨면 하늘이 흐리거나 비가 내렸다. 이번 방문의 주목적은 수돗가 보수공사. 시멘트를 발라야 하는데 비가 오니 걱정이었다. 그래도 다행히 비가 잠시 그쳐서 그 틈에 공사를 마칠 수 있었다.

하지만 다낭으로 돌아오는 발걸음이 가볍지만은 않았다. 기관에서 공사 준비를 제대로 해 두지 않아 봉사자들이 불만을 터뜨렸기 때문이다. 미리 부탁한 공사 도구를 당일에 사러 나가는 것부터 며칠 전에 부탁한 재료가 아직 준비되지 않은 것까지…. 충분히 짜증을 낼 만한 상황이었다. 누군 도움을 주겠다고 4시간이나 차를 타고 오는데 정작 수

혜기관은 소극적인 태도를 보이니 답답할 만도 했다. 이쪽에서 아홉을 준비했으면 상대방도 하나쯤은 준비해 주기를 바라는 게 인지상정이다.

하지만 그렇다 해도 불편한 마음이 가시지 않았다. 왜 그럴까 곰곰이 돌이켜 보니, 우리가 기관의 입장을 배려하지 못했다는 생각이 들었다. 지난번 방문했을 때 수돗가가 깨진 것을 보고 보수공사를 하기로 결정한 건 우리였다. 미장을 할 수 있는 봉사자들의 일정에 맞추다 보니 조금 급하게 일이 진행됐다. 사전에 공사 허락을 맡긴 했지만 기관 입장에서는 내심 난감했을 것이다. 돈을 지원하는 것도 아니면서 대뜸 벽돌 백 장을 준비해 달라니…. 어쩌면 보육원에서는 기술자가 없기 때문이 아니라 재료를 살 돈이 없어서 공사를 미뤄 온 것일 수도 있는데 말이다. 우리의 생각이 짧았다. 소통 없는 열정이 얼마나 위험한지 뼈아픈 반성을 했다.

[2018년 12월]

성탄절이 다가온다. 이곳에서도 성탄절이 되면 가정에서 아이들에게 선물을 준다. 우리도 보육원 아이들에게 줄 선물을 준비했다. 간식거리는 한데 뭉쳐 복주머니처럼 만들고 여자아이들을 위한 생리대는 불투명 포장지에 곱게 쌌다. 젊은 감각을 가진 다낭외대 학생들이 포장을 주도하고, 손재주가 없는 나는 시키는 대로 자르고 붙이는 일만 열심히 했다.

작업하다 보니 구석에 양말이 남은 것이 보였다. 이걸 빠뜨렸다고 일러줘야 하나 고민하다가 그냥 믿고 맡겨 보기로 했다. 선물 포장이 완성돼 갈 때쯤 학생들이 양말 꾸러미를 풀었다. 그러더니 양말 안에

막대사탕을 넣어 돌돌 말고 포장지로 싼 다음 양 끝을 묶어서 커다란 사탕처럼 만들었다. 내가 중간에 나서지 않길 참 잘했다는 생각이 들었다.

활동을 하면서 '우리 학생들이 협력봉사에 참여하지 않았으면 어쩔 뻔했나' 하는 생각도 자주 했다. 일이 계획한 대로 풀리지 않거나 급박하게 뭔가를 처리해야 할 때마다 짜증은 어른들이 냈지 학생들은 늘 차분한 모습이었다. 불볕더위에 기관 대청소를 했을 때, 가만히 있어도 땀이 줄줄 흘러 티셔츠가 젖던 날에도 불평 한마디 하지 않고 웃어 보였다. 이 사랑스러운 아이들이 아니었다면 '꽝찌에서 쏘아 올린 작은 공'은 튀어 오를 수 없었을 것이다.

[2019년 4월]

꽝쏘공 마지막 활동을 앞두고 벼룩시장을 열었다. 페이스북 페이지를 만들어 물품 사진을 올리고 홍보를 했다. 물건값이 우리 돈으로 500원에서 1500원 사이였는데, 수익금이 7만 원이나 모였다. 우리는 그 돈으로 성장기 아이들에게 좋은 영양제를 샀다.

마지막 활동을 마치고 오는 길, 차창 밖에서 아이들이 손을 흔들었다. 처음 만났을 때보다 얼굴이 훨씬 밝아 보였다. 사무소에 계획안을 제출하기 전부터 변수도 어려움도 많았던 활동이지만 역시나 하길 잘했다는 생각이 들었다.

끝이라고 생각하니 아쉬움보다는 후련함이 더 컸다. 예상보다 활동 규모가 커지고 참여인원도 늘어서 마음이 벅찰 때가 많았다.

KOICA 예산을 사용하는 것도 부담이었다. 웬만해선 지원을 받고 싶지 않았지만 어쩔 수가 없었다. 보육원 아이들에게 더 좋은 것을 해주고 싶어서, 그러려면 KOICA 지원금이 필요해서…. 책임감과 부담감을 안고 진행한 협력활동이었다.

이번 협력활동에서 정기적으로 실시한 건 한국어 수업과 보건 교육. 아이들에게 더 많은 것을 경험시켜 주고자 틈틈이 예체능 활동도 했다. 다낭외대 학생들은 한국어 교육에 놀이를 접목한 수업을 하기도 했다. 한여름엔 과일 빙수를, 크리스마스에는 케이크를, 설날엔 떡국을 함께 먹었고, 그 밖에도 신체 계측, 체력장, 대청소, 방 꾸미기, 한식 체험, 개량 한복 체험 등 다양한 활동을 펼쳤다.

2018년 7월부터 2019년 4월까지, 이 장기 프로젝트를 완수하는 과정에서 봉사자 가운데 몇 명은 출국을 하고, 또 새로운 멤버가 들어오기도 했다.

'꽝찌에서 쏘아 올린 작은 공'은 KOICA 단원 협력활동임에도 다양한 사람들이 동행해 주었다. 꽝찌가 고향이라는 베트남 사람도 있었고 다낭에서 근무하는 한국인 회사원도 있었다. 봉사에 관심은 있지만 그간 기회가 없어 못 했다는 사람, 시간이 안 되니 돈으로 후원하겠다는 사람까지, 그 사연도 참 다양했다. 그리고 그 진심을 한 번이든 두 번이든 행동으로 보여 주었다.

그들은 알맞은 타이밍에 등장해 우리에게 길을 제시했고 힘이 돼 주었다. 고마울 따름이다.

다낭외대 한글날 행사

다낭외대에서 한글날 행사가 열리는 날, 행사의 시작을 알리는 1학년 학생들의 부채춤 공연이 있었다. 곡 선정부터 무용까지 너무나 훌륭해서 감탄이 절로 나왔다. 백일장, 손 글씨 쓰기, 퀴즈 대회를 진행했다. 중간중간 축하공연으로 노래도 부르고 케이팝 커버 댄스도 추는데 어찌나 잘하던지! 우리 학생들이 재주가 많다는 것을 새삼 느꼈다.

공식적인 행사를 마치니 낮 12시쯤 됐다. 강당을 나가 1층으로 가면 한국 음식을 파는 부스와 포토존이 마련돼 있다기에 짐을 정리하고 내려갔다. 늦게 도착해서 그런지 준비한 음식이 이미 다 팔린 부스도 있었다. 부스 담당 학생들이 부랴부랴 2차 요리를 하는 동안 나는 다른 학생들과 사진을 찍거나 이야기를 나눴다. 공연한 학생들에게 노래 연습을 며칠이나 했느냐고 물어보니 각자 파트를 따로 연습하고 리허설 전에 몇 시간 맞춰 본 것이 전부라고 했다. 그런데 이렇게 잘하다니!

얼마 전에 읽은 책에 '베트남 사람들은 느릿느릿해 보이지만 막상 해야 하는 일이 눈앞에 닥치면 어떻게든 문제를 해결한다'고 쓰여 있었는데, 그것을 내 눈으로 확인한 순간이었다. 이번 행사는 중간고사와 겹쳐 준비할 시간이 많지 않았는데도 최선의 노력과 집중력으로 멋진 결과를 만들어 낸 것이다. 새삼 아이들이 대단해 보였다.

오늘은 강의실이 아닌 다른 곳에서 만나는 만큼 학생들과 더 편하게 소통하고 친해지면 좋겠다고 생각했다. 그런데 여러 학급의 학생들이 한자리에 모여 있다 보니 그러기가 쉽지 않았다. 다들 나와 이야기를 나누고 싶어 하는데 여기서 얘기하고 있으면 저기서 "썬쌩님!" 하고 불렀고, 학생 하나와 사진을 찍으면 그 뒤로 또 여럿이 몰려들었다. 정신없는 통에 학생들 하나하나 잘 챙겨 주지 못하는 것 같아 미안했다.

한국 음식 부스를 둘러보니 정말 다양한 메뉴가 준비돼 있었다. 라면, 김밥, 잡채, 김치전, 비빔밥, 떡볶이는 물론 미역국, 김치찌개, 산적, 삼겹살까지 있었다. 재료며 맛까지 아예 베트남식으로 바꿔 버려서 아쉬운 음식도 있었지만 감탄이 절로 나올 만큼 맛있는 것도 있었다. 이걸 언제 다 준비했나 싶어 대견했다.

어느덧 행사를 마무리해야 할 시간. 장사 개시가 늦었던 1학년 학생들의 부스에는 아직 음식이 많이 남아 있었다. 나는 아이들을 돕기 위해 팻말을 들고 "미 까이(매운 라면)!"라고 외치며 홍보에 나섰다. 적극적인 영업 덕분에 여덟 그릇은 더 팔렸다. 실은 1학년 새내기들이 귀여워 언니·오빠들이 팔아 준 것일 테지만!

사실 이 '매운 라면'은 1학년 학생들과 나의 합작품이었다. 행사 전날 학생들이 내게 '한국 라면 끓이는 법'을 물어보기에 함께 장을 보고 우리 집에서 실습 삼아 같이 라면을 끓여 먹었던 것이다. 고생하는 모습이 예쁘고 기특해서 나는 학생들에게 한글날 행사 후 시원한 음료를 사 주겠다고 약속했었다.

그런데 그게 벌써 소문났는지 몇몇 학생들이 같이 가고 싶다고 얘기해 왔다. 이내 우리와 동행하겠다는 학생 수가 더 늘어 의도치 않게 반 야유회가 됐다. 그것도 모자라 자기들끼리 쑥덕쑥덕하더니 행선지를 카페가 아닌 노래방으로 바꿔 버렸다. 이 '흥의 민족'을 어쩌면 좋을까. 오늘은 잠깐 카페만 갔다가 쉬려고 했는데, 결국 또 이렇게 휩쓸리고 만다. 뭐, 그래도 싫지는 않으니까!

1학년 학생들이다 보니 한국 노래보다는 베트남 노래를 더 많이 선곡했다. 내가 잘 아는 노래도, 얼핏 들어본 것도, 아예 처음 들어보는 것도 있었지만 무조건 목청 높여 따라 불렀다. 댄스곡이 나오면 다 같이 일어나 춤추는 건 만국 공통인 듯했다. 비록 내 베트남어가 부족하고 아이들도 한국어를 잘하지는 못하지만 이렇게 춤과 노래로 하나가 돼 즐길 수 있어서 기뻤다.

봉사활동 모금 공연

주말을 앞두고 한 학생에게서 연락이 왔다. 호이안에 봉사활동 모금 공연을 하러 갈 건데 같이 가지 않겠냐는 얘기였다. 관광객이 많이 몰리는 밤 시간대를 이용해 모금 활동을 할 예정이라고 했다. 언제? 내일이다.

다낭 대학교 학생들은 매년 우기 때마다 베트남 산간지역이나 소수민족이 사는 마을에 찾아가 따뜻한 옷과 학용품을 나눠 주는 활동을 한다. 지난번에도 친한 학생 몇이 나에게 같이 가자고 했는데 그땐 하필 협력활동과 날짜가 겹쳐서 참여할 수가 없었다. 아쉬워하고 있었는데 이렇게 다시 함께하자는 연락이 오니 반가웠다.

호이안은 다낭에서 차로 한 시간 정도 떨어진 관광지다. 학생들과 나는 학교 정문에서 만나 다 함께 이동하기로 했다. 알려 준 시간에 맞춰 가니 오토바이 20여 대가 자리 잡고 있었다. 그리고 거기에 굉장히 많은 남학생이 모여 있었다. 우리 학교는 여학생이 대부분인지라, 순간 잘못 왔나 싶어 주위를 두리번거렸다. 그러다 우리 학교 학생들을 만났는데, 알고 보니 이번 봉사활동은 다낭대학교 부속 외국어대학교와 건축대학교 학생들이 연합해 준비한 거였다. 나에게 연락을 준 학생이 외대 봉사단 리더, 그의 남자친구가 건축대 봉사단의 리더였다. "우리 학교에는 남학생이 없어서 연애 못 해요" 하고 늘 우는소리를 하더니 이렇게 '봉사활동'이라는 매개체를 통해 '썸'도 타고 연애도 하는가 보다.

공연을 위해 모인 학생들을 보니 어림잡아도 30명은 넘어 보였다. 우리는 둘씩 짝을 지어 오토바이를 타고, 빈자리에는 스피커와 기타를 실었다. 20대가 넘는 오토바이가 다 함께 출발하는 모습은 장관이었다. 경기에 출전하러 가는 운동팀 같았다.

호이안에 도착해 주차를 하고 공연할 장소를 물색했다. 좋은 곳은 이미 다른 팀이 자리를 잡아 하는 수 없이 우리는 구석에 세팅해야 했다. 준비하는 데만 시간이 꽤 걸렸다. 곧 패키지 관광객들이 떠날 시간이 다가오는데 나만 조급한 건지 아이들은 그저 세월아 네월아 하고 있었다. 그래도 나는 학생들을 믿고 기다렸다. 내 눈에 어떻게 보이든

아이들에게는 그들만의 계획과 속도가 있다는 걸 알기 때문이다. 학생들과 함께 '짱찌에서 쏘아 올린 작은 공' 봉사활동을 하며 배운 것이다.

공연을 시작했지만 주변에 지나가는 사람들이 많지는 않았다. 그래도 우리는 열심히 공연했다. 노래와 춤, 전통 무용까지 학생들이 정성 들여 준비한 것이 느껴졌다. 몇몇은 모금 취지를 설명하는 팻말과 포스터를 들고 거리로 나갔다. 서툴지만 열심히 한국어와 영어로 설명하는 모습을 보니 대견한 마음에 가슴이 찡했다.

호이안에 방문하는 외국인 관광객 중 유독 한국인의 비율이 높기 때문에 이번 모금 공연은 한국어학과 학생들이 주축이 돼 준비했다고 했다. 나는 한국어로 공연 취지와 봉사활동 내용을 설명하는 역할을 맡았다. 이들이 모두 다낭의 대학생이며, 자비로 이번 활동을 준비했다는 것을 설명했다. 한국어가 들리자 지나치던 관광객들이 우리 쪽을 돌아봤다.

한국인들의 관심을 집중시킬 방법이 더 있다면 좋을 텐데, 한국어로 된 공연이 하나도 준비돼 있지 않아 살짝 당황스러웠다. 한국 노래를 부르거나 하다못해 한국 음악을 틀어놓고 막춤이라도 추면 신기해서 구경 올 텐데…. 연달아 구슬픈 베트남 노래만 부르는 사이 관광객들은 시큰둥하게 지나갔다.

이대로는 안 되겠다 싶어 나도 노래를 하겠다고 나섰다. 사람들의 이목도 끌고 분위기도 띄워 볼 요량으로 트로트를 불렀다. 익숙하고 흥겨운 소리가 들리자 한국 관광객들이 하나둘 모여들기 시작했다. 분위기가 달라지는 것을 느꼈는지 눈치 빠른 한 학생이 즉흥 케이팝 커버 댄스를 추었다. 사람들이 점점 더 몰리기 시작했다.

다시 내게 마이크가 쥐어졌고, 황급히 정리되지 않은 말을 늘어놓다가 그만 실수를 하고 말았다.

"여러분도 아시다시피 베트남에는 가난한 사람들이 많잖아요."

할 수만 있다면 내가 한 말을 주워 담고 싶었다. 만약 어떤 외국인이 한국에 와서 이런 소리를 했더라면 나는 대번에 자존심이 상했을 것이다. 충분히 상처가 될 만한 말이다. 이 자리에는 한국어학과 학생들도 있는데…. 수업 때 또박또박 천천히 말하는 것과 달리, 방금은 평소의 말투와 속도로 이야기했기 때문에 아이들이 이 말을 못 알아들었을 가능성이 컸다. 하지만 만약 단 한 명이라도 알아들었다면?

나는 당황해서 재빨리 다른 말을 내뱉었다. 말을 마치고 마이크를 내려놓자 아이들의 박수가 쏟아졌다. 착잡한 마음이 들었다. 그리고 부끄러웠다. 나는 본래 대중 앞에서 말하는 것을 어려워하지 않는다. 갑자기 무대에 세워도 무슨 말을 해야 할지 몰라 당황하는 사람은 아니다. 그걸 믿고 방심해 버렸다. 내가 좀 더 겸손했더라면, 공연이 시작되기 전에 내가 할 말을 미리 골라 놓았더라면, 들뜨지 말고 차분한 마음으로 이야기를 이어 나갔더라면…. 시간을 되돌리고 싶었다.

공연을 구경하는 사람들이 휴대폰으로 우리를 찍는 게 느껴졌다.

물 들어온 김에 노 젓는다는 심산으로 이번에는 아이돌 노래를 골랐다. 내친김에 학생과 듀엣곡도 하나 부르고 베트남 댄스곡도 불렀다. 흥겨운 분위기 속에서 목표 모금액이 채워졌다. 그렇게 공연은 마무리됐다.

다낭에 돌아와 자취하는 아이들과 함께 늦은 저녁을 먹으러 갔다. 뜨끈한 국물에 언 몸을 녹이고 다들 한 그릇 혹은 두 그릇씩 맛있게 그릇을 비웠다. 고생한 아이들을 대신해 내가 계산하려 하니 이미 내 몫까지 냈단다. 오늘은 이렇게 하겠다기에 더는 사양하지 않았다. 대신 두 손을 모으고 잘 먹었다고 인사하니 아이들이 기분 좋게 웃었다. 맑은 웃음이 참 예뻤다.

KOICA 협력활동: 라온 한국어

내가 처음 기획한 협력활동은 '짱찌에서 쏘아 올린 작은 공'이 아니었다. 계획안은 먼저 완성했지만 짱쏘공 활동에 변수가 생기면서 그 활동까지 신경 쓰기 어려운 상황이 됐다. 그래서 잠시 미뤄 뒀는데, 짱쏘공 활동이 안정기에 접어들자 다시 그 활동을 준비하기 시작했다.

'즐거움'이라는 뜻의 순우리말을 담은 '라온 한국어'. 중부지역 학습자와 주민들을 위한 한국어 경시대회 겸 문화 행사다. 그간 한국 관련 주요 행사들이 북부와 남부 대도시 중심으로만 진행되는 게 아쉬워 중부지역민을 위한 새로운 장을 마련하고 싶었다. KOICA 사무소에 물어보니 협력활동으로 발전시켜도 좋겠다는 의견을 주었다. 그렇게 나의 두 번째 협력활동을 진행하게 됐다.

'짱쏘공' 활동을 같이한 중부지역 단원들에게 새로운 협력활동 계획을 소개하고 참여 의사를 물어보다가 중부지역에서 활동하는 다른 단원들도 꽤 많다는 것을 알게 됐다. 청소년 개발, 유아교육, 요리교육 등 다양한 분야의 단원들이 모여 얘기하다 보니 좋은 아이디어가 많이 나왔다.

새로운 활동과 참여 단원이 늘어나면서 행사 규모가 처음 기획했던 것보다 훨씬 더 커졌다. 처음엔 다낭에서 차로 2시간 거리인 후에 대학만 초청하려 했으나 이 기회에 시골 아이들에게 다낭 구경 올 기회를 주고 싶어 계획안을 전면 수정했다. 그렇게 점차 규모가 커지다 보니 어느새 KOICA 단원들이 파견된 중부지역 전 기관이 모이는 행사가 됐다.

일을 크게 벌이니 그만큼 계획하고 신경 쓸 것도 많아졌다. 나도 바빴지만 행사 준비를 도와준 다낭외대 동료 강사들이 애를 많이 썼다.

한국의 대학기관도 마찬가지겠지만 베트남 대학에서의 행정 업무는 서류로 시작해서 서류로 끝난다. 이번 행사만 하더라도 다낭외대 학장님께 제출할 보고용 계획서와 예산안, 다른 행정부서에 보내는 협조요청 공문, 행사를 진행할 강당 사용 신청서, 행사 운영에 필요한 장비와 인력 요청서 등 모든 준비 과정에 서류가 필요했다. 그 외에도 다낭 교육국에 활동 승인을 받고, 협력활동에 참여하는 KOICA 단원들의 활동 기관에도 행사 참여와 협조를 요청해야 했다.

보내야 할 서류가 이렇게나 많은데 행사 준비를 거의 전담하다시

피 한 현지인 동료는 이제 막 들어온 신입강사였다. 공문 작성법부터 행사 준비 절차까지 다른 강사들에게 일일이 물어가며 처리하다 보니 일의 진척이 더딜 수밖에 없었다.

나는 협력활동을 준비하는 동시에 학교 수업은 수업대로, 세종학당 강의와 야심 차게 벌여 놓은 한국어 동아리도 책임지고 완수해야 했다. 여유는 줄었지만 대신 더 좋은 일을 할 수 있게 돼 기뻤다. 이런 기회가 주어진 것 자체가 감사한 일이기에 불평할 수 없었다.

'사람 일은 참 모를 일이다' 싶은 생각도 들었다. 나는 국내 교육을 받을 때부터 조용하고 평탄한 단원생활을 꿈꿨다. 불필요한 일에 돈을 쓰거나 오버하고 싶지도 않았다. 그래서 사업은 누군가 먼저 한다고 하면 슬쩍 껴서 하고 아니면 굳이 나서지 않으려고 했다. 마침 내가 파견된 기관은 이미 두 번의 현장사업을 마친 곳이었다. 그러니 마음 편히 내 할 일 하며 조용히 지낼 수 있겠구나 싶었다.

그런데 막상 와 보니 그럴 수가 없었다. 학생들에게 필요한 것이 뭔지 눈에 보였고, 그걸 채워 주지 못해 신경이 쓰였다. 학생들에게 애정이 생기니 그냥 지나칠 수도 없었다. 자꾸만 뭐라도 해주고 싶은 마음이 들었다. 그게 내 발등 찍는 일인 줄 알면서도 결국은 내가 하겠다고 손들고 나섰다.

두 번의 협력활동은 힘들었다. 소리 지르며 울고 싶을 때도 많았다. 실제로 꽤 오랜 기간 설명할 수 없는 외로움과 깊은 우울감에 빠져 있었다. 힘들 걸 알면서도 왜 하겠다고 나섰는지…. 깜냥이 안 되면 오지랄이라도 좀 떨든가, 하겠다고 나섰으면 묵묵히 하기라도 하든가. 열정에 비례하지 않는 실력과 체력 때문에 마음이 서글펐다. 통제 불가능한 일이 터질 때마다 '나는 왜 뭐하나 수월히 하는 게 없을까' 하는 자괴감에 빠졌다. 훌쩍 도망쳐 버리고 싶을 때도 많았다.

그래도 그 시간을 버텼더니 하나둘 마무리됐다. 아주 잘 해낸 건 아니더라도, 계획한 것을 다 해내긴 했다. 욕심 많은 내 성에는 안 찰지 몰라도 그 활동을 통해 아이들을 웃게 할 수는 있었다. 그 환한 웃음을 볼 때면 '그래도 하길 잘했다'는 생각이 들었다. 두 번의 협력활동은 슬럼프를 겪던 내게 돌파구가 돼 주었다. 그래서 고마웠다. 그래도 힘들었던 걸 생각하면 솔직히 욕은 좀 나온다.

2019년 1월 19일, 행사를 하루 앞둔 날이었다. 행사장 상태는 한마디로 '엉망진창'이었다. 아침부터 욕이 나왔다. 이미 캠퍼스에 설치됐어야 할 행사 부스는 아직 올 생각을 안 하고, 배송 기사는 몇 번을 전화해도 받질 않았다. 점심시간이 지나서야 겨우 통화가 됐는데 사과는 커녕 기껏 한다는 소리가 오후에 출발하려고 했단다. 화가 머리끝까지 났지만 나 대신 성내는 동료 강사들을 보며 꾹 참았다.

열심히 준비한다고 했는데도 다시 점검해 보니 모자라는 것이 한두 가지가 아니었다. 쉬는 날인데도 도우러 나와 준 학교 동료들 덕분에, 그래도 하나씩 정리돼 갔다. 동료들이 도와주니 훨씬 수월하게 일이 진행되는 것을 보고, 혼자 준비하느라 끙끙댔던 게 생각나서 뒤늦게 설움이 몰려왔다. 그래도 이렇게 다들 두 팔 걷고 나서주니 고마웠다. 여러 가지로 속상함과 아쉬움이 들었지만 돌아보기엔 이미 늦었다. 괜한 데 에너지 쏟을 시간이 없다.

행사 리허설 시간이 가까워 오자 각 기관 사람들이 학교에 모이기 시작했다. 사람들이 잠시 다낭외대 캠퍼스를 구경하는 사이, 나는 리허설을 준비하기 위해 강당으로 향했다. 그런데 강당에서는 다른 행사가 한창이었다. 이게 웬 날벼락인가 싶었다. 혹시나 해서 어제 확인까지 했는데 이런 일이 벌어지니 실소만 나왔다. 학교 관리팀에 연락을 넣고 조치를 기다리는 사이 다른 기관 관계자들에게 양해를 구했다. 얼른 리허설 마치고 다낭 구경을 나가고 싶었을 텐데…. 모두에게 미안했다.

한 시간 후에는 리허설이 가능하다는 연락을 받고 겨우 한숨 돌리나 했는데 이번엔 다른 데서 일이 터졌다. 교내 행사를 담당하는 음향기사가 이번 행사와 관련해 신입강사와 협의하던 중 기분이 상해 갑자기 우리 행사를 맡지 않겠다고 한 것이다. 당황스러워 헛웃음이 다 나왔다. 어쩌면 음향기사는 강당 사용 일정을 제대로 조율하지 못한 것에 대해 상관에게 책망받아 기분이 상한 것인지도 몰랐다.

사실 KOICA 단원 협력활동을 진행할 때는 통역비를 제외하고 인건비 명목으로 예산을 사용할 수 없다. 하지만 이곳에도 나름의 관습이 있었다. 행사 준비를 도와주는 학교 교직원들에게 얼마간의 수고비를 주어야 일의 진행도 빠르고 확실히 일을 해준다는 것이다. 만약 돈을 주지 않으면 행사 당일에 갑자기 출근하지 않거나 맡은 일을 대충한다고 해서 어쩔 수 없이 사비로 수고비를 부담했다.

보통은 행사를 다 마친 다음에 수고비를 주지만, 이 음향기사에게

만은 그의 요구대로 돈을 미리 주었다. 워낙 감정적인 사람으로 유명한 터라 그의 비위를 맞추기 위한 내 나름의 노력이었다. 그런데도 이렇게 무책임하게 행동하다니….

이렇게 된 것은 자기 잘못이라고 말하는 동료 강사 앞에서 나는 차마 당황한 티도 낼 수 없었다. 두 사람 사이에 어떤 말이 오갔는지는 모르지만 어쨌든 두 사람이 틀어진 계기는 이번 행사다. 나야 파견기간이 끝나면 음향기사와 다시 안 볼 사이지만, 이 신입강사는 앞으로 몇 년은 학교 행사가 있을 때마다 그와 일해야 한다. 괜히 나 때문에 이런 일이 생긴 것 같아 도리어 미안한 마음이 들었다.

어쨌든 행사는 진행해야 하니 외부 인력이라도 부르려는데 음향기사가 다시 마음을 돌리고 여기로 오고 있다는 소식이 전해졌다. 사회생활에 익숙한 다른 강사가 그를 어르고 달래 데려온 것이다. 멀리서 걸어오는 음향기사의 모습을 보니 정나미가 뚝뚝 떨어졌다. 나이를 먹을 만큼 먹은 남자가 젊은 여선생 팔짱을 끼고 걸어오는 모양새가 징그럽기까지 했다. 화가 치밀었지만 그래도 참아야 했다. 이딴 거 필요 없다고 자존심을 세우기에는 이번 행사를 위해 고생한 사람들이 너무 많기 때문이다.

밖에서는 뒤늦게 시작된 부스 설치가 한창이었다. 부스가 늦게 도착하는 바람에 오늘의 계획이 다 틀어졌다. 내일 사용할 물품을 미리 세팅해 놓으려고 학생들까지 불렀는데 결국 아무것도 못 하게 됐다. '뭐든 내 마음대로 되는 게 없구나' 싶어 울고 싶어졌다.

그런 중에 리허설이 시작됐다. 첫 순서는 행사의 시작을 알리는 꿔년 특수학교 학생들의 부채춤 공연이었다. 모두 청각장애가 있는 아이들이라 음악 소리를 듣는 대신 바닥에 울리는 소리의 진동을 느끼며 동작을 이어 나갔다. 얼마나 열심히 준비했을까 싶어 기특하고 예뻤다. 지켜보는 사람들의 눈에도 감동의 눈빛이 어렸다. '꽝쏘공' 수혜 기관 아이들의 공연도 이어졌다. 우리 학교 학생들이 한국어 수업 중 가르쳐 준 '아기 상어' 춤이었다. 긴장된 미소를 띤 아이들의 모습이 너무나 사랑스러웠다. '내가 이걸 위해 그동안 그 고생을 했구나' 하는 생각이 들었다. 충분히 가치 있는 일이었다.

각기 열심히 준비한 학생들의 리허설을 보고 있으니 왠지 마음이 울컥했다. 여기서 울면 안 되지 싶어 꾹 참았는데 누군가가 "행사 준비 잘 되고 있느냐"고 묻는 말에 눈물이 쏟아지고 말았다. 그걸 물어 본 사람의 목소리가 다정해서 그랬는지, 아는 사람 앞이라 긴장이 풀려서 그랬는지 모르겠다. 한 번 터진 눈물은 걷잡을 수 없었다.

이번 협력활동을 진행하는 동안 계획대로 진행된 일이 하나도 없었다. 갑자기 예상치 못한 일이 터질 때마다 몇 번이고 마음을 다독이며 잘 참아 왔는데, 오늘 하루는 너무 힘들었다. 모든 순간이 악몽 같았다. 내일이 기대되기보다는 어서 이 힘든 시간이 끝나 버렸으면 하는 마음뿐이었다.

2019년 1월 20일, 드디어 행사 당일. 어제 못 옮긴 짐을 다 옮기고 세팅하느라 아침부터 분주했다. 오전에는 사전에 진행한 대회 시상을 하고 말하기 대회와 백일장을 동시에 진행했다. 그런 다음 점심시간을 겸한 문화 행사를 하고 오후에는 퀴즈대회와 장기자랑을 열었다. 매 순서가 어떻게 지나갔는지 모르겠다. 순간순간 뭉클했고 재미있었다는 것 외에는 기억이 가물가물하다. '잔치'라기보다는 '전쟁' 같은 시간이 지나갔다.

뒷정리를 마치고 다낭외대 선생님들끼리 잠시 모였다. 행사 후 남은 음식을 먹으며 서로의 수고를 치사했다. 많은 게 미안하고 고마웠다.

집에 오자마자 바닥에 드러누웠다. 축 처진 마음이 몸까지 지배하는 듯했다. 어제오늘 아쉬운 것투성이였다. '그때 이렇게 할걸, 그건 이렇게 했으면 더 좋았을걸…' 하고 후회감이 몰려왔다. 학생들을 위해 준비한 시간인데 정작 나는 학생들과 어울리지도 못했다.

한참 정신을 못 차리고 누워 있다가 뒤늦게 휴대폰을 확인하니 여기저기서 연락이 와 있었다. 오늘 하루가 좋은 추억이 될 것 같다는 학생들의 메시지, 너무 재미있고 즐거웠다는 참여 기관 사람들의 메시지…. 그리고 행사 중 찍은 사진들도 잔뜩 남겨져 있었다. 그제야 이번 활동의 목적과 의의가 떠올랐다.

이번 협력활동의 목적은 '한국의 문화를 베트남에 알리고, 이곳 아이들에게 다채롭고 즐거운 경험을 선물하자'는 것이었다. 이번 행사로 인해 시골과 소도시 아이들은 다낭이라는 관광도시에 한 번 와 볼 수 있었다. 전통놀이뿐만 아니라 한국과 관련된 다양한 게임을 하며 한국의 문화를 접할 수 있었다. 모두들 한국 음식을 배불리 먹었고, 전통한복이나 생활한복을 골라 입고 직접 김밥도 말아 보았다. 학생들은 다양한 분야로 치러진 경시대회를 통해 한국어, 손글씨, 그림, 춤, 노래 등 각자의 재능을 뽐내고 실력을 인정받았다. 작은 상품이라도 하나씩 챙겨 주어 빈손으로 돌아가지도 않았다. 그리고 함께 장기자랑을 준비하거나 행사에 참여하는 과정에서 KOICA 단원들은 각자 활동하는 기관 관계자들과 더 가까워질 수 있었다고 했다. 짧은 시간에 많은 사람에게 KOICA의 활동도 홍보할 수 있었다. 이렇게 중부지역 단원들이 서로 한 번 인연을 맺었으니 다음에는 더 좋은 활동을 기획할 수도 있을 것이다.

어설프지만 할 건 다 해낸 행사였다. 내가 원하는 대로 모든 것이 딱딱 맞아떨어지지는 않았지만, 세상사가 다 그런 걸 어쩌겠나.

학생들이 보내 준 행사 사진을 다시 들여다보았다. 사진 속 아이들이 모두 환하게 웃고 있었다.

'그래, 그러면 됐다. 이렇게 마무리하련다!'

'라온', 즐거움이라는 뜻의 순우리말.
비로소 내게도 라온이 찾아왔다.

한국어를 배우는 이유

MBC 방송국에서 우리 학교를 취재하러 왔다. 학생 몇 명을 인터뷰했는데 "케이팝 좋아해서 한국어를 배운다면 거짓말이죠"라고 말한 장면이 캡처돼 인터넷에 떠돌았다. 제목은 '베트남 사람들이 한국어를 배우는 이유'.

2019년 현재 베트남에는 신한류가 불고 있다. 요 몇 년 사이 한국 기업이 베트남에 많이 진출했기 때문이다. 학생들에게 한국어학과에 지원한 이유가 무엇이냐고 물어보면 대다수는 '돈이 되기 때문'이라고 한다. 취업이 잘 돼서, 한국어를 배우면 돈을 많이 벌 수 있다기에, 부모님이 가라고 해서, 다른 학과에 가려고 했는데 성적 맞춰 오느라…. 이런 현실적인 답변이 많아졌다. 한국에 유학 가거나 일하러 가는 베트남 사람도 증가했다.

베트남에 오는 한국 관광객 수가 급증하면서부터 너도나도 한국어를 배우려 한다. 이제 여행사나 식당, 공항, 스파, 기념품 가게, 시장 등 관광객이 몰리는 곳에 가면 한국인 매니저나 짧게라도 한국어를 하는 직원을 볼 수 있다. 한국어학과 학생들은 성격이 활달하고 한국어를 잘하면 3학년만 돼도 가이드 아르바이트를 시작한다. 한때 일하느라 수업에 잘 안 나오는 학생이 베트남에서 가장 비싸다는 오토바이를 2대나 구입했다는 소문이 돌아 학생들의 마음을 심란하게 만들기도 했다. 그 외 고수익 아르바이트로 한국어 과외도 많이 하는데, 개인 과외뿐만 아니라 학원이나 기업체에서 강의를 요청받기도 한다. 최근 다낭에 사는 한국인이 많아지면서 한국인을 대상으로 한 베트남어 과외도 인기를 끌고 있다.

그래서인지 한국어학과를 졸업한 후 취업을 못 하는 사람은 아직까지 없다고 한다. 대부분의 졸업생이 북부에 위치한 삼성이나 LG에 취직하고, 고향인 중부지역에 남고 싶은 학생들은 여행사에 들어가기도 한다. 최근에는 관광 가이드가 돈을 많이 번다고 해서 이쪽으로 눈길을 돌리는 학생들이 많아졌다. 학교나 기업에서 일하다가 관광 가이드로 전향하는 사람들도 늘어나는 추세다.

다낭외대에서 운영하는 '세종학당'은 유료 강좌임에도 수업을 신청하는 사람이 많다. 주로 직장인이 수강하는데, 이들은 대부분 한국 관련 업계에서 일하거나 일할 예정인 사람들이다.

베트남에서 지내다 보면 한국인 관광객과 이민자들로 인해 한국의 위상이 떨어지는 것을 많이 볼 수 있다. 이곳 사람들 사이에서 한국인은 아무 데서나 큰 소리를 내고 예의 없이 군다는 평을 많이 받는다. 특히 처음 보는 사람에게 반말과 명령조로 말하는 건 한국인의 특성으로 간주된다. 드라마와 연예인을 보며 로망을 키웠던 사람들이 한국인의 민낯을 확인하게 되는 것이다. 점점 한국어를 할 줄 아는 베트남 사람들이 늘어나니 이대로라면 한국인에 대한 평은 더 나빠질 수밖에 없다.

우리 학생들도 아르바이트를 하다 보면 한국인 업주를 만나거나 한국인 손님들을 대하는 경우가 많은데, 이야기를 들어보면 정말 별별 일을 다 겪는다. 실수 한 번 했다고 손님에게 '미친놈' 소리를 들은

학생도 있었다. 그런 얘기를 들을 때마다 언제나 미안함과 부끄러움은 나의 몫이다. 같은 한국인으로서 내가 대신 사과하고 학생들을 위로할 수밖에 없다. 왜 한국 사람들은 동남아에만 오면 상전이 되는 걸까. 정말 듣기 민망할 정도로 부끄러운 일이 곳곳에서 벌어지고 있다.

그럼에도 여전히 한국을 좋아하고 '한국 사람들이 다 그런 건 아니다'라고 생각해 주는 성숙한 학생들이 있다. 그 믿음이 깨지지 않도록, 그들의 마음속 '증거'가 돼 주는 것도 봉사단원이자 한국어 강사인 나의 역할이 아닐까 싶다.

학생들을 만나는 이유

'라온 한국어' 활동 후에는 여가시간을 학생들과 함께 보내려고 노력했다. 학교 앞 카페에서 학생들을 만나 수다를 떨고 저녁에 함께 야시장을 구경하거나 간식을 먹으러 다니곤 했다. 주말엔 영화관과 노래방에도 가고 다낭 근교로 당일치기 여행을 다녀오기도 했다. 아직 학기 종강도 안 했는데 이렇게 부지런을 떠는 이유는 나의 귀국이 얼마 남지 않았기 때문이다.

단원들이 활동기간을 연장할 때는 대부분 그럴 만한 이유가 있는 경우다. KOICA 현장사업을 진행 중인데 아직 마무리되지 않았다거나, 후임단원이 오기 전까지 공백기에 강의할 강사가 부족하다거나 하는 경우 등이다. 하지만 다낭외대의 경우 굳이 내가 활동 기간을 연장할 이유가 없었다. 사실 나는 베트남에 좀 더 있고 싶었다. 그러나 단순히 베트남이 좋고 가르치는 일이 재미있어서 파견기간을 연장한다면 그건 이기적인 결정이라는 생각이 들었다.

다낭외대는 단원이 활동하기에 좋은 기관이다. 이곳에서는 단원이 열정을 갖고 기획하는 일을 대부분 자유롭게 실행할 수 있기 때문이다. 또한 다낭은 단원이 생활하기에 불편함이 없을 만큼 충분한 인프라를 갖춘 도시다. 다낭과 다낭외대 정도라면 후임단원으로 누가 오더라도 그에게 좋은 경험이 될 테니 이제 그만 다른 사람에게 기회를 넘겨야 한다는 생각이 들었다.

KOICA 사무소와 기관 동료들에게 나는 본 일정대로 임기를 마치겠다고 얘기했다. 그 소식은 이내 학생들에게도 전해졌다. 학생들은 저마다 아쉬움을 표해 왔다.

나도 시간을 붙잡고 싶지만 이제 귀국날짜가 정해졌으니 어쩔 수 없다. 아쉬운 만큼 남은 시간을 더 애틋하게 보낼밖에는.

문제없어요

"두리 씨, 문제없어요!"

타오 씨는 수업이 끝나면 꼭 나를 집에 데려다주었는데, 먼 거리라 내가 거절하거나 미안해하면 단호하게 "괜찮아요! 문제없어요!"라고 말하곤 했다.

타오 씨를 처음 만난 것은 세종학당 한국어 말하기 특강 때였다. 수업 후 나를 찾아와 사례할 테니 개인적으로 한국어를 가르쳐 줄 수 있겠느냐고 물었다. 그때 나는 주당 13시간 수업에 한국어 동아리만 해도 다섯 개를 겸하고 있었다. 게다가 한참 진행 중인 협력활동, 막 시작하려던 협력활동까지 겹쳐서 다른 곳에 할애할 기운이 없었다. 세종학당 강의도 원어민 강사가 필요하다는 학교 선생님들의 부탁에, 부담되는 것을 꾹 참으며 겨우겨우 해 나가는 중이었다.

만약 시간이 있다면 다낭외대 학생들을 위해 쓰고 싶었고, 그래야 마땅하다고 생각했다. 한국어에 관심 있는 척 다가왔다가 다른 의도를 보이거나 자기 멋대로 무심히 연락을 끊는 사람들을 보면서 더이상 오지랖 부리지 말아야겠다고 다짐한 뒤였다.

하지만 내 거절에도 타오 씨는 또다시 부탁을 해 왔다. 시간이나 장소는 모두 내가 편한 대로 맞출 테니 짧게라도 한국어를 가르쳐 달라고 했다. 취업 준비 중이라는 그녀의 말이 너무 간절하게 들려 그냥 지나칠 수가 없었다.

후에 알게 된 일이지만 타오 씨는 부유한 친정과 사업을 하는 남편 덕에 넉넉한 생활을 하고 있었다. 성격 급한 나를 자책했다. 내가 1대 1로 한국어를 가르쳐 주겠다고 하면 신청할 학생들이 몇십 명은 될 텐데…. 그 애들을 두고 내가 이렇게 가진 자의 배를 불려도 되는 건가 싶어 마음이 무거웠다. 그래도 기왕 시작한 거 한번 해 보기로 했다. 일주일에 한 번이고 그마저도 사정이 생기면 쉬거나 미룰 수 있으니 큰 부담은 되지 않을 것 같았다. 오랜만에 만난 열정 있는 학습자의 모습에 마음이 동하기도 했다.

그렇게 시작된 타오 씨와의 만남은 내가 다낭을 떠나기 전까지 근 1년 동안 지속됐다. 수업료 대신 타오 씨는 나를 다낭의 맛집과 카페로 데리고 다녔다. 기관 사람이 아니기 때문에 마음의 부담 없이 베트남과 한국에 대한 진솔한 얘기를 나눌 수 있었다. 베트남에서 사귄 첫 친구였다.

귀국을 앞두고 나는 타오 씨 부부가 준비한 저녁 식사에 초대됐다. 우리는 정갈하게 차려진 베트남 가정식을 먹으며 꽤나 오랜 시간 대화했다. 타오 씨 남편이 내게 베트남에 오게 된 계기를 물었다. KOICA에 대해 설명하고, 한국어에 대한 베트남 사람들의 관심이 높아 베트남에는 한국어 교육 단원이 많다고 얘기했다. 그러자 옆에서 타오 씨가 내가 월급 없이 일한다는 말을 덧붙였다.

타오 씨 남편이 걱정스러운 눈빛을 하며 그럼 어떻게 생활하느냐고 물었다. 월급이 없는 대신 주거비와 생활비를 제공받아 괜찮다고 하니 베트남을 위해 힘써 줘서 고맙다고 인사했다. 그리고 한국이 정말 좋은 봉사단 프로그램을 운영하고 있다며 칭찬했다. 그 말이 내겐 위로가 됐다. 파견 나온 봉사자라고 했을 때 대뜸 "생활비 얼마 받아요?" 하고 묻는 사람은 봤어도 이런 반응은 처음이었다.

귀국을 딱 열흘 앞둔 주말, 타오 씨와 함께 봉사활동을 가기로 했다. 약 30명의 베트남 봉사자들도 함께였다. 다낭에 있는 'Hiếu hạnh(효행)'이라는 베트남 민간 봉사단체인데, 이 단체의 봉사단원인 타오 씨 덕분에 나도 참여할 수 있는 기회를 얻었다.

나는 베트남에 파견되기 전에 봉사활동 계획으로 '기관 사람들, 지역 주민들, 단원들과 함께 봉사활동하고 싶다'라고 적었었는데, 이로써 그 계획을 모두 이루게 됐다.

이번에 방문할 곳은 베트남 산간 지역이었다. 후원금을 전달하고 250인분의 학용품과 간식을 선물한 뒤 하룻밤 자고 오는 일정이라고 했다. 타오 씨에게 무엇을 준비할까 물어보니 갈아입을 옷과 세면도구만 챙겨 오라고 했다. 회비도 없고 아이들에게 줄 물건도 사지 않는 것이 이상해 재차 물었는데 필요한 물품은 이미 단체 사람들이 다 구비해 두었다고 했다. 반신반의하면서도 나는 이 활동의 주 멤버가 아니기에 잠자코 따랐다.

봉사활동을 떠나는 당일, 타오 씨를 만나 택시를 타고 집합 장소로 갔다. 어느 작은 식당이 집합 장소였는데 여기 주인이 이 단체의 인솔자라고 했다. 10명 남짓 들어갈 만한, 규모가 크지 않은 식당이었다. 거기에서 부랴부랴 아침을 먹고 준비된 차에 올랐다. 승합차 두 대에, 짐을 실은 트럭이 한 대로 나름 대규모 이동이었다.

봉사활동

차가 출발하자 내 앞자리에 앉은 분이 통기타를 잡고 연주를 시작했다. 그러자 목청 좋은 어느 분이 그에 맞춰 노래도 불렀다. 20분 넘게 열창하는 어르신과 환호하는 청년들…. 그 귀여운 소란이 즐거웠다.

9시 30분에 출발해 점심 먹을 때 말곤 쉬지 않고 달렸는데 목적지에 도착하니 오후 4시였다. 깊은 산골이라 도중에 길을 헤매서 시간이 더 늦어진 것 같았다.

우리는 마을 초등학교에 진을 치고 트럭에 실은 물품을 줄지어 날랐다. 티셔츠, 슬리퍼, 책가방, 모자, 라면, 우유, 구충제, 볼펜, 공책, 샴푸, 간식거리…. 그다음엔 아이들에게 줄 선물을 학년별로 포장했다.

치수를 확인하고 박스를 뜯고 봉지를 묶어 대는 일의 연속이었다. 눈이며 손목이며 다 빠질 것 같고 사방에서 쏟아지는 베트남어에 어안이 벙벙했다.

노동요처럼 이어지는 베트남 사람들의 수다는 가히 존경스러웠다. 저렇게 말할 힘이 어디서 나올까 궁금해질 만큼 쉴 새 없이 이어졌다. 지치지 않는 이들의 힘은 웃음에서 나오는 걸까? 아니면 그 웃음을 만들어 내는 대화 속에 있는 걸까? 처음에는 쉴 새 없이 이어지는 베트남어에 조금 당황했지만, 즐거운 분위기 덕분에 덩달아 나도 기쁜 마음으로 일할 수 있었다.

베트남이 얼마나 성장할 것 같은지 묻는 사람들에게 나는 누누이 베트남 사람들이 가진 저력에 대해 얘기해 왔다. 베트남 사람들은 '내 일이고 내 책임이다' 싶을 땐 어떻게든 그 일을 완수해 낸다. 시간이 없으면 밤을 새워서라도 끝마치고 문제가 생기면 지연·혈연을 총동원해서라도 방법을 찾아내는 게 베트남 사람들이다. 그리고 또 빼놓을 수 없는 게 협동심이다. 이렇게 많은 사람이 모여도 미리 짠 것처럼 흐트러짐 없이 일을 착착 진행한다. 그 모습을 보며 나는 또 한 번 감탄했다.

평소 같으면 잔뜩 늘어져 있을 저녁 시간에 땀을 줄줄 흘리며 일하다 보니 언뜻 떠오르는 기억이 있었다. 페루의 집짓기 봉사활동, 태국 단기 선교활동, 꽝찌 아이들과의 만남…. 내 삶의 방향을 수정하고 가치관을 변화시킨 일련의 경험들이다. 각기 다른 나라에서 다른 시기에 경험한 것인데도 죽 연결돼 생각나는 것이 기이하게 느껴졌다.

선물 포장과 뒷정리까지 마치고 나니 어느덧 깜깜한 밤이 됐다. 젊은이들이 포장 작업을 마무리하는 동안 어른들은 밖에 저녁상을 차리고 캠프파이어를 준비했다. 동네 아이들이 하나둘 모이더니 주민들도 여럿 나와서 구경했다. 캠프파이어용으로 세워 놓은 목재에 불이 붙자 모두 환호성을 질렀다.

흥 많은 베트남 사람들답게 통기타 반주에 맞춰 춤판을 벌이기도 했다. 꼬리잡기하듯 앞사람 허리를 붙잡고 줄지어 춤추는 모습이 어찌나 귀엽던지…. 봉사자들이 한 명씩 나와 노래도 부르고, 구경하는 동네 아이들에게 노래를 시킨 뒤 상품을 주기도 했다.

한바탕 잔치가 끝난 뒤 남자 청년들을 중심으로 다시 술판이 벌어지고, 나머지는 자거나 씻으러 갔다. 씻으려고 보니 얼음장같이 차가운 물만 나왔다. 산골 마을이라 따뜻한 물이 안 나온다고 했다. 너무 추워서 대충 몸에 물만 끼얹고 얼른 수건으로 물기를 훔쳤다. 더는 할 수가 없었다. 다들 이불 없이 맨바닥에 돗자리만 깔고 잤다. 그마저도 부족해서 몇몇은 박스를 깔고 잤다. '침낭이라도 챙겨 올걸' 하는 생각이 들었지만 여러 사람과 모여 자는 덕에 춥지는 않았다.

다음 날 알람 소리를 듣고 일어나 밖으로 나갔다. 5시에 일어나자고 해서 시간 맞춰 일어났는데 부지런한 사람들은 이미 한참 전부터 활동을 펼치고 있었다. 테이블 가득 샌드위치를 쌓아 두고, 아이들이 구경하러 오면 우유와 샌드위치를 쥐여 준 다음 손톱을 깎아 줬다. 봉사자들 중에 미용사도 있었는지 아이들의 머리를 잘라 주기도 했다. 아침밥을 미끼로 아이들의 위생과 미용을 챙겨 주다니 아이디어가 참 좋다고 생각했다. 한쪽에서는 봉사자들이 먹을 라면 물을 끓이고 있었다. 새벽까지 놀던 청년들도 벌써 씻고 활동할 준비를 하고 있었다.

대체 누가 베트남 사람더러 게으르다고 하는 건지…. 이렇게나 부지런한데 말이다.

어른들이 마을 아이들을 챙기는 동안 청년 봉사자들은 옷 꾸러미를 날랐다. 어디선가 헌옷도 엄청나게 모아왔다. 우리는 주민들이 필요한 것을 챙겨 갈 수 있도록 옷가지를 정리하고 아이들에게 선물을 나누어 주었다. 워낙 아침 일찍 시작한 활동이라 9시도 안 돼 끝이 났다.

뒷정리를 하고 떠나는데 봉사단원들끼리 승합차에서 돈을 걷기 시작했다. 뭔가 싶어 타오 씨를 바라보니 우리 몫은 이미 냈단다. 그러면 그렇지! 이렇게 규모가 큰 봉사활동에 회비가 없을 리 없었다. 억지로 쥐여 줘도 안 받을 것을 알기에 나는 타오 씨에게 고맙다는 말을 전하고 다낭에 돌아가면 점심을 사기로 했다.

다낭에 도착해 짐을 푸는데 누군가 택시 회사 로고가 적힌 옷을 꺼내 입었다. 봉사단체 인솔자는 그 피곤한 일정을 마치고도 다시 식당 주방으로 들어갔다.

우리나라에서도 불우이웃을 돕는 대다수는 서민이라고 하던데, 이 단체의 구성원들 역시 부자가 아니라 주변에서 만나는 평범한 사람들이었다. 누군가는 대학생, 누구는 택시기사, 가게 점원, 작은 식당의 주인…. 돈 많고 시간 많아 이런 활동을 하는 게 아니라 바쁘게 살아가는 와중에 잠시 짬을 내어 참여하는 것이다.

그동안 나는 열심히 활동하면서도 슬럼프에 빠져 있었다. 일을 벌이면 벌일수록 현지의 민낯을 보게 됐고 그때마다 실망감이 커졌다.

이게 바로 해외봉사의 이상과 현실인가 싶었다. 거저 주니 계속 거저 받으려고만 하고, 그걸 당연시하는 사람들도 생겨났다. 외국인이자 외부인인 우리가 애쓰는 동안 우리보다 더 부유한 현지 사람들은 이웃에게 요만큼도 관심이 없는 것처럼 보였다. 오히려 우리 같은 봉사자들이 이 나라의 자생력을 약화시키는 것 아닌가 하는 회의감마저 들었다.

그런데 이틀 동안 땀 흘려 일하는 봉사자들의 모습을 보며 '베트남에 희망이 있다면 이 사람들이겠구나' 싶었다. 이번 봉사활동의 회비는 30만 동(1만 5000원). 보통 식사 한 끼에 1000원이니 베트남 물가를 생각했을 때 적은 금액은 아니다. 자신도 그리 풍족하지 않으면서, 타인을 위해 자신이 가진 걸 나누어 주는 사람들…. 여전히 이렇게 멋진 사람들이 존재한다는 사실에 감사했다.

베트남에서 나를 가장 설레게 하는 건
야자수 나무 아래로 펼쳐진 푸른 바다가 아닌,
바로 이 머랭 같은 구름이었다.

다섯 번째,

특별한 일상

내게 남은 시간

#1.

오랜만에 에어컨 없는 현지 카페에 다녀왔다. 창문 밖에서 오토바이 소리와 함께 바람이 실려 들어오는 개방형 구조, 주황 조명에 딱딱한 나무 의자, 무엇이든 작은 컵에 담겨 나오는 진한 음료…. 이런 풍경이 퍽 사랑스럽게 느껴졌다.

파견기간을 연장할지 고민할 때는 시간이 많이 남은 것 같았다. 아쉬우면 얼마든지 1년 더 살 수 있으니 말이다. 그런데 귀국을 결심하고 나니 마음이 급해진다. 그간 무심히 스쳐 지나갔던 것들이 다 아깝고 그립다. 이 지겨운 우기마저 이제 더는 못 겪는다 생각하니 살짝 아쉬워진다.

#2.

동료 강사와 영화를 보고 나오는 길에 여느 때처럼 세찬 비가 내렸다. 집까지 멀지 않은 거리라 그냥 우비를 사지 않고 동료의 오토바이를 얻어 타기로 했다. 운전하는 동료 등에 코를 박고 가는데 뒤에서 누가 경적을 울려댔다. 희롱인가 싶어 쳐다보지 않고 있었는데 끈질기게 불러대는 통에 결국 속도를 줄였다.

가끔 거리를 걷다 보면 남자들이 "헤이, 유!" 하고 소리치거나 입으로 요란한 소리를 내며 내 시선을 끌려 할 때가 있었다. 걷고 있는데 오토바이를 타고 다가와 소리를 지르거나 옆에 바짝 붙어 아슬아슬하게 스쳐 지나갈 때도 있었다. 이런 일이 몇 번 반복되고 나니 길을 걸을 때 누가 말을 걸면 신경질부터 났다.

속도를 줄인 후에도 나는 그쪽을 쳐다보지 않았는데 잠시 후 동료가 무언가를 내 쪽으로 넘겨주었다. 이게 뭔가 하고 보니 우비였다. 내가 비를 맞고 가는 것을 보고, 지나가던 오토바이 운전자가 자신의 우비를 내준 것이다. 순간 너무 놀라 뒤늦게 고개를 들고 감사 인사를 했다. 곧이어 죄송함이 몰려 왔다. 그간의 경험 때문에 저지른 실수라 해도, 상대방의 행동을 내 멋대로 판단하고 무시하려 든 게 못내 죄송했다.

물론 내일은 또다시 희롱꾼들을 만나 화를 내게 될지도 모른다. 그럼에도 불구하고 좀 더 부드러운 마음을 갖기를, 그런 눈빛으로 나의 이웃인 타인들을 바라보게 되기를 바란다. 같이 있었던 현지 강사의 말대로, 이 일은 잊지 못할 추억이 될 것 같다.

#3.

별이 뜨는 곳으로 가고 싶었던 나는, 반딧불 대신 시멘트 가루가 날리는 다낭에 살고 있다. 건물의 네온사인이 화려해 별도 볼 수 없는 곳에서 유일하게 잘 보이는 것은 크게 뜨는 달, 파란 하늘 그리고 구름이다.

다낭의 구름은 입에 넣으면 사르르 녹는 게 아니라 쫀득쫀득 씹힐 것만 같다. 이게 바로 뭉게구름의 표본 아닐까? 구름이 참 몽글몽글 차지게도 생겼다. 베트남에서 나를 가장 설레게 하는 건 야자수 나무 아래로 펼쳐진 푸른 바다가 아닌, 바로 이 머랭(Meringue) 같은 구름이었다.

그와 더불어 날마다 눈에 담고 싶은 것은 베트남의 달. 불교 신자가 많은 베트남에서는 정월 초하루와 보름에 제사를 지낸다. 제사 전후로 사람들은 여러 가지 것을 모아 활활 태우는데, 부임 초반에 나는 '사람이 다니지도 못하게 왜 인도에서 쓰레기를 태우느냐'고 짜증을 냈었다. 그런데 어느 순간부터는 연기 냄새가 나면 하늘부터 올려다보게 됐다. 그럼 역시나 하늘에는 휘영청 밝은 달이 떠 있었다. 연기 냄새에도 조금씩 익숙해졌다.

물론 지금도 그런 모습을 좋아하는 것은 아니다. 다만 집이 좁으니 거리로 나오는 것 같다고, 이 또한 어떤 의미가 담긴 풍습일지 모른다고 생각하고 있다.

베트남이 밉다가도 정이 들고, 싫다가도 다시 보게 되는 것은 이런 것들 때문이다.

장대로 따는 망고

택시를 기다리다 마주한 풍경 하나. 사람들이 모여 끝이 갈라진 장대로 망고를 따고 있었다. 마치 가을날 감을 따는 모습과 흡사했다. 높은 데 열린 망고는 어떻게 따나 항상 궁금했었는데 먹기 위해 발휘하는 지혜는 세계 어디나 비슷한 것 같아 웃음이 났다.

그래도 자연환경이 다르다 보니, 먹거리 중에는 생소한 것들도 많다. 망고만 해도 다른 것이, 우리가 흔히 먹는 노란색의 물컹한 망고와 달리 이곳의 망고는 초록색에 과육도 단단하다.

이 초록색 망고는 별로 달지 않아서 양념된 소금에 찍어 먹거나 샐러드에 넣어 먹는다. 세상엔 노랗고 빨간 망고만 존재하는 줄 알았는데, 베트남에선 초록색 망고를 더 많이 먹는단다. 특유의 풋풋한 향과 오래 씹을수록 나는 단맛이 좋다.

베트남에는 초록색 바나나도 있다. 다 익어도 껍질이 초록빛이다. 그래도 속은 일반 바나나처럼 부드럽고 달콤하다. 바나나 중에는 아주 작고 단단해 요리용으로 사용하는 것도 있다. 얇게 썰어서 고기나 튀김에 곁들여 먹는다. 이 바나나에선 떫은맛이 나기 때문에 양파의 매운맛을 빼듯 잠깐 물에 담가 둬야 한다.

베트남에서 많이 나는 것 중에는 '고수'도 있다. 향이 어찌나 강한지 먹고 트림을 하면 그 냄새가 그대로 올라올 정도다. 처음엔 나도 고수를 먹지 않았다. 베트남 현지적응교육 인솔자로부터 '보통 한국 사람들 입맛에는 고수가 잘 맞지 않는다'는 말을 듣고는 나도 못 먹을 거라 생각했던 것이다. 그러다가 '고수를 먹으면 모기에 안 물린다'는 얘기를 들은 이후로 나는 쌀국수에 고수를 넣어 먹기 시작했다. 고수를 잔뜩 썰어 넣은 국물을 떠 먹으며 느낀 것인데 내 입맛에는 고수가 잘 맞는다. 없으면 아쉬울 정도는 아니지만 그 특유의 향이 입맛을 돋운다.

내가 못 먹는 것도 있다. 한국에서는 '어성초'라 불리는 향채다. 살짝 뜯어서 냄새를 맡으면 비릿함에 인상이 팍 찌푸려진다. 베트남 사람 중에도 어성초를 좋아하는 사람이 있는가 하면 나처럼 아예 못 먹는 사람도 있다고 한다. 베트남은 향채의 고장으로, 식당에 가면 보통 여러 가지가 섞여 나온다. 라이스페이퍼 위에 올려 다른 것과 같이 싸 먹을 땐 어성초만 쏙쏙 골라낼 수 있지만 샐러드에 들어가면 안 먹을 수가 없다. 고르고 골라도 어쩌다 한두 개씩 입에 들어오는데 그때마다 입 안 가득 퍼지는 비릿한 향은 입맛을 뚝 떨어뜨린다. 다른 사람들에게 고수가 이럴까 싶다.

그 밖에 특이한 건 과일을 찍어 먹는 소금이 있다는 것. 베트남 사람들은 과일을 먹을 때 라면수프 맛이 나는 매운 소금에 찍어 먹는다. 망고, 구아바, 수박까지…. 약간의 짠맛을 더하면 단맛이 더 잘 느껴진다는 것은 알지만, 마치 소금 맛으로 먹는 것처럼 푹푹 찍어 먹는 모습을 보면 신기하다.

마트에 가면 이 용도로 만든 소금을 판매하는데, 처음에는 소금에 찍어 먹는 망고가 낯설었던 나도 어느새 딱딱한 초록색 망고와 함께 소금통을 꺼내 들게 됐다.

베트남에 와 별걸 다 먹어 본다. 세상에 이토록 다양한 먹을거리가 있다는 것을 모르고 살았다니!

베트남에 오면 왜 살이 찔까?

예전에 함께 협력활동을 했던 KOICA 단원들에게 내가 최근에 살이 쪘다고 고백했더니 다들 베트남에 온 뒤로 몇 킬로씩 쪘다고 맞장구를 쳤다. 사람들은 왜 베트남에 오면 살이 찔까? 문득 궁금해졌다.

과일? 망고스틴, 망고, 리치, 람부탄, 구아바…. 한국에서는 좀처럼 보기 힘든, 없거나 비싸서 쉽게 사 먹을 엄두가 나지 않는 열대과일이 베트남에는 즐비하다. 문제는 누구나 알듯이 이런 과일이 쉽게 살로 변한다는 것이다. 날이 더우면 입맛이 없어질 법도 한데, 더울수록 과일의 당도는 높아지니 전투적으로 과일을 쟁여 놓게 된다. 특히 한 번 먹어 보면 그 맛을 잊을 수 없는 망고스틴은 제철이면 1kg에 4만 동(2000원)밖에 하지 않아 "지금 망고스틴 안 먹으면 바보"라는 말이 나올 정도다. 바보가 되기 싫어 오늘도 한 봉지 사 뒀다.

커피? 날이 더우면 더울수록 단 게 먹고 싶어진다. 특히 여름이 본격적으로 시작되는 4월부터는 얼음을 잔뜩 넣은 연유 커피를 끊을 수가 없다. 이곳에서는 커피를 만들 때 베트남식 전통 추출 도구인 '핀'을 주로 사용하는데, 핀으로 내린 커피는 콜라처럼 검고 진하다. 여기에 얼음만 넣어 그대로 마시는 사람도 있지만 보통은 연유나 우유를 섞어 마신다. 향 좋은 커피에 같은 비율로 연유를 섞은 것을 'Cà phê sữa đá(까페 쓰어 다)'라고 하고, 연유를 덜 넣고 우유를 넣은 것을 'Bạc xỉu đá(박 씨우 다)'라고 한다. 핀에 내린 원두와 흰 연유를 섞으면 진한 초콜릿색이 되고 맛도 카페모카와 비슷해진다. 이 달달한 커피가 지친 날 원기 회복제 역할을 톡톡히 하기 때문에 하루에 한 번은 꼭 마시게 된다.

음식? 베트남 음식은 맛있다. 베트남을 떠나면 무엇이 제일 그리울 것 같냐는 질문에 주저 없이 '음식!'이라고 외칠 정도로. 문제는 좀… 대체로 짜다는 것이다. 더운 나라여서일까. 베트남 음식도 한국 음식 못지않게 짜다. 대부분의 음식에 적정량 이상의 소금이 들어가는 것 같다. 거기다가 무엇이든 'Nước mắm(느억 맘)'이라는 피시 소스에 찍어 먹으니 그야말로 짠맛의 연속이다. 느억 맘은 생선 액젓을 발효시켜 만든 맑은 소스인데, 보통 그대로 먹지 않고 다진 마늘이나 설탕을 섞어 먹는다.

요리에 고기를 많이 쓰는 데다 볶거나 튀긴 것이 많아 음식이 대체로 기름지다. 음식에 조미료도 은근히 많이 넣는 편이다. 거기다 쿰쿰

한 맛이 나는 요리나 베트남 고추가 들어간 매운 요리를 먹고 나면 자연스레 단 음식이 생각난다. 과일이나 연유 커피 혹은 베트남 사람들이 사랑하는 설탕 듬뿍 든 밀크티까지! 이러니저러니 해도 맛있으니 자꾸 먹게 된다. 그러니 도무지 살이 찌지 않을 수가 없다.

이렇게 결론을 내리고 나니 뭔가 석연치 않은 마음이 들었다. '그럼 이렇게 먹는 사람들은 다 같이 살이 쪄야지, 몸무게는 왜 나만 느는 거냐고!' 한국 사람들이 베트남 여행을 오면 꼭 한 번씩 하는 얘기가 '이곳 사람들은 대체로 몸집이 작다'는 것이다. 슬쩍 봐도 베트남 사람들은 대부분 날씬한 편이다. 뼈대가 가늘어서일까, 흉통이 좁아서일까. 여하튼 내가 단 한 번도 가져본 적 없는 몸매의 소유자들이 많다.

이렇게 달고 짜고 매운 음식을 먹으면서 그런 몸매를 유지하는 비결이 뭘까? 베트남에 고작 2년 있었던 내가 함부로 결론 내리기는 어렵지만 그래도 대충 헤아려 보자면 활동량이 많기 때문이 아닐까 싶다. '동남아 사람들은 게으르다'는 인식과 달리, 내가 지켜본 이곳 사람들은 늘 부지런했다. 새벽 5시만 돼도 길가에 오토바이 소리가 들리고, 우리 부모님 나이쯤 되는 어르신들은 이른 아침부터 공원에 나가 체조를 한다. 점심식사 후 즐기는 낮잠도 오후 활동을 위해 힘을 비축하는 삶의 지혜라는 생각이 들었다. 그것도 나처럼 대책 없이 쿨쿨 자버리는 게 아니라 고작 20~30분, 식후의 노곤함을 해소할 정도로만 눈을 붙이니까 말이다.

무엇보다 베트남 사람들은 식사량이 적다. 현지인들이 자주 가는 식당에 가면 보자마자 '에게?' 싶을 만큼 그릇이 작다. 먹을 땐 그럭저럭 배가 차는 것 같은데 뒤돌면 금세 배가 고프다. 그래서 관광객이 많이 찾는 식당들은 대부분 외국인에게 표준화된 양의 음식을 내놓는 대신 가격이 높다.

베트남에서는 음식뿐만 아니라 음료도 아주 작은 잔에 담아 준다. 성격 급한 나는 받자마자 쭉 들이켜는데 서너 번 마시고 나면 얼음만 남는다. 베트남 사람들은 대화하며 천천히, 잔에 든 얼음을 살살 녹여 가며 마신다. 술 마시는 것도 다르다. 한 모금 한 모금 마실 때마다 건배를 하며 시간을 두고 잔을 비운다. 식당에서 맥주를 시키면 얼음통 가득 맥주병을 넣어 주지만 그걸 다 비우는 사람은 없다. 술병을 비우는 것보다는 서로 목소리가 얼마나 큰지 뽐내는 데 더 집중하는 느낌이랄까. 술잔 반절 크기의 얼음까지 넣어 마시기 때문에 별로 취하지도 않는다.

이래서 살은 나만 찌나 보다. 같은 환경에서 살고 비슷한 음식을 먹지만 나는 먹는 양이 훨씬 많으니 몸집이 불 수밖에 없다. 코끼리도 풀만 먹고 코끼리가 된다고 하지 않나. 억울하지만 어쩔 수가 없다. 배고프면 예민해지는 것을. 나는 온유하고 인심 좋은 사람이 되고 싶단 말이다.

커피 한잔에 담긴 추억

어릴 적 우리 집에 손님이 오면 커피를 타는 건 내 몫이었다. 인스턴트 커피에 설탕과 프림을 넣고 뜨거운 물을 부어 살살 저을 때의 행복감이란…. 아직 어려서 커피를 마실 수는 없었지만 원래 못 먹게 하면 더 먹고 싶은 법. 늘 손님 수에 맞춰 커피를 탔기 때문에 누군가 한 모금 남겨 주기만을 바랐다. 그 시절의 기억 때문인지, 좀 더 자라 커피가 허락됐을 때 나는 쓰디쓴 블랙커피보다도 프림과 설탕이 잔뜩 든 커피를 마시고서야 '내가 좀 컸구나'라는 것을 실감했다.

베트남 사람들도 커피에 대한 사랑이 남다르다. 매일 아침이면 손바닥만 한 의자에 엉덩이를 붙이고 앉아 커피를 마시는 게 일상이다. 주로 마시는 건 연유 커피 'Cà phê sữa đá(카페 쓰어 다)' 혹은 'Cà phê đá(카페 다)'라고 하는 블랙커피다. 여기서 'đá(다)'는 얼음을 뜻하는데, 우리가 흔히 아는 크기의 각얼음이 아니라 유리잔의 3분의 2쯤 되는 큰 얼음을 사용한다. 물론 관광객이나 젊은 사람들이 많이 찾는 '문과 에어컨 달린 카페'에서는 우리에게 익숙한 작은 얼음을 넣어주지만 말이다. 보통의 현지 카페는 사방이 뚫려 있어서 덥고 습한 바람이 그대로 들어온다. 얼음이 금세 녹을 수 있으니 그걸 막기 위해 큰 얼음을 사용하는 게 아닐까 싶다.

가만히 있어도 잘 녹지만 그걸 엄지손톱만 한 스푼으로 저어 가며 수다를 떠는 것이 베트남 남자들의 흔한 아침 풍경이다. 그에 비해 상대적으로 바쁜 여자들은 주로 커피를 테이크아웃해 간다. 처음엔 왜 아침에는 카페에 남자들밖에 없는지 궁금했는데, 동료 강사의 설명을 들으니 이해가 됐다.

"베트남에서는 여자가 하는 일이 더 많아요."

최근 조금씩 바뀌고 있기는 하지만, 아직까지 베트남에서는 여자가 육아를 전담한다고 한다. 그런 데다가 이른 아침부터 밥상 차려서 가족들 출근시키고 본인도 일을 나가야 하니 한적하게 여유 부릴 시간이 없다는 것이다. 우리 학교에도 여성 직원이 많은 편인데, 이들의 생활도 예외는 아니라서, 오전 시간이 지나면 교내 쓰레기통에는 다 먹고 버린 테이크아웃 커피잔이 가득하다.

학생들은 주로 오후 수업시간에 커피를 들고 온다. 점심 먹고 난 뒤라 제일 졸릴 법한 시간, 무더운 날씨에 에어컨 없이 수업을 듣다 보면 스르르 눈이 감기기 십상이다. 그때 마시는 시원한 커피 한 잔은 음료가 아니라 당과 카페인을 보충해 주는 보약이다.

이곳 아이들은 어릴 적 내가 그랬던 것처럼 일찍부터 커피를 마시고 싶어 한다. 아마 커피에 든 연유의 단맛 때문이 아닌가 싶다. 지난 '꽝쏘공' 협력활동 때도, 보육원 아이들이 복숭아티 대신 어른들 몫으로 준비한 커피를 마시겠다고 떼를 써서 난감했던 적이 있었다.

단맛이 좋아 커피를 마시겠다는 아이들처럼 나 역시 아직도 제대로 된 '커피 맛'을 잘 모른다. 맛으로 따지자면 달달한 인스턴트커피가 제일이고, 에스프레소나 아메리카노는 맛있다고 느껴본 적이 없다. 다만 전부터 커피의 향을 좋아했다. 카페 앞을 지나거나 안에 들어서면 확 풍겨 오는 원두 향, 맛도 맛이지만 그 고소한 향에 이끌려 커피를 주문하게 된다.

그러니 내가 요즘 아주 호강하며 산다. 베트남 커피가 유독 향이 좋기 때문이다. 베트남은 세계 2위의 커피 생산국이자 수출국이다. '베트남' 하면 쌀국수만 유명한 줄 알았는데, 인스턴트커피는 물론 원두커피까지 유명하지 않은 게 없단다. 향이 좋아 자꾸 마시다 보니 지금은 블랙커피의 맛도 알게 됐다.

가끔은 굳이 마시지 않더라도 향을 음미하고 싶어 커피를 내릴 때가 있다. 지난 우기도 그렇게 보냈다. 그럴 때면 습기를 머금은 기운도, 한여름의 더위도 커피 한잔으로 인해 가시는 기분이 든다.

마지막 출석

"김치?"

"네!"

"짜장?"

"네!"

낯선 베트남 땅에서 어찌 이런 단어들을 외치는가 하면 이것이 우리 학생들의 이름이기 때문이다. 정확히 말하자면 아주 긴 베트남 이름 중 일부인데 출석을 부를 때는 보통 맨 뒤의 두 자만 부르기 때문에 정말로 '김치'와 '짜장'이 된다. 아이들은 아무렇지 않은데 나만 속으로 웃는다. 처음엔 그 긴 이름을 다 말해야 하는 줄 알고 떠듬떠듬 읽다가 출석만 10분 넘게 불렀었다. 이제는 익숙해져서 몇 분이면 출석 확인이 끝난다.

그렇게 마지막 출석을 부르고 나니 마지막 학기가 끝났다. 이번 여름방학에는 대차게 쉬어 볼까 하다가 마지막이라는 게 아쉬워 동아리를 열었다. 아르바이트하는 학생들에게 손님을 응대하는 화법과 일할 때 자주 쓸 수 있는 문장을 가르쳐 주었다. 나에게 학생들이 일하면서 겪는 고충을 털어놓을 때가 많은데, 조금이나마 도움이 되길 바라는 마음에서였다.

물론 굳이 이렇게까지 하지 않아도 된다는 것을 안다. 다낭에 한국어 학원도 많고 인터넷에서 무료 강의와 교재도 다운받을 수 있다. 인터넷 속도도 느리지 않아 필요하면 누구나 독학할 수 있는 환경이다. 하지만 그렇다 해도 나는 가능하면 한 번이라도 더 학생들을 만나고, 하나라도 더 알려 주고 싶었다.

그래도 작년보다는 여유가 있어서 방학 기간에 여행도 다니고 학생들도 자주 만났다. 송별회 겸 1학년 학생들과 1박 2일 야유회도 다녀왔다. 일부러 학생들에게 한국어로 야유회 일정을 짜고 준비물도 정해 보라고 했더니 곧잘 했다. 숙소는 호이안에 있는 펜션으로 잡았다. 호이안이 고향인 학생 덕에 저렴한 방을 찾았다. 아이들이 자기들은 한 방에 대여섯 명씩 섞여 자면서 내겐 가장 좋은 독방을 내주었다.

호이안은 다낭에서 오토바이로 1시간 거리다. 꽤 가깝지만 호이안에 처음 와 본다는 학생들도 있었다. 숙소에 도착해 짐을 풀고 아이들과 점심을 만들어 먹었다. 사진도 찍고 수영장에서 물놀이도 했다. 수업 시간에 배운 한국어 게임을 하며 물장난을 쳤다. 369게임을 하다 나도 한 번 걸려 거센 물세례를 받았다. 다들 내가 걸리기만을 기다렸던 듯했다.

저녁은 밖에서 먹자고 해서 씻고 나가 보니 낯선 사람들이 가득했다. 옷은 얼마나 과감하고 화장은 또 어찌나 진한지 내가 알던 학생들이 아니었다. 오랜만에 놀러 와서 기분을 내고 싶은 모양이었다. 눈썹이며 마스카라까지 화장은 나보다 더 잘했는데 내 눈엔 마치 고등학생들이 한껏 힘준 것처럼 보여 귀여울 따름이었다.

그렇게 차려입고서 밥은 또 노점 목욕탕 의자에 앉아 먹었다. 식탁도 낮아서 허리를 잔뜩 숙이고 음식을 먹어야 하는 곳이었다. 후덥지근한 공기와 육수 끓이는 냄비의 열기에 가만히 있어도 땀이 났다. 그

래도 나는 현지 느낌이 물씬 나는 이런 곳이 좋았다. 우리는 뜨거운 국수를 '후후' 불어서 먹으며 서로에게 손부채질을 해주었다. 아이들은 음식이 나오면 내게 먼저 밀어 주고 이것저것 넣어 먹으라며 친절하게 알려 주었다. 세심하게 챙겨 주는 아이들이 고마웠다.

내가 저녁을 계산하려 하니 아이들은 남은 회비로 내면 된다며 나를 말렸다. 여태껏 나는 한 푼도 쓰지 않았다. 호이안까지 학생들 오토바이로 이동하고 방값도 애들끼리 돈을 모아 냈다. 작정하고 나를 대접해 주려는 마음이 고마워 알겠다고 하고 넘어갔다. 잘 먹었다고 배

꼽 인사를 했더니 학생들 얼굴에 화색이 돌았다.

저녁을 먹고 돌아가는 길, 아이들이 들뜬 목소리로 이따 술을 마시자고 소리쳤다. 야시장 구경은 얼마 하지도 않고 돌아왔다. 아이들에겐 야시장보다 우리만의 술자리가 더 중요한 모양이었다. 아이들은 다낭에서부터 준비해 온 간식거리를 꺼내고 시장에서 사 온 과일과 술을 내놓았다. 나도 가방에 숨겨 두었던 것을 꺼냈다. 값이 비싸 학생들이 살까 말까 고민하다 포기한 마른안주였다. 주방에서 갓 만든 튀김까지 꺼내니 그럴싸한 한 상이 차려졌다.

흥 많은 우리 학생들이 노는 데 음악이 빠질 리가 있나. 돌아가며 한 곡씩 부르고 기분 나면 일어나서 춤까지 췄다. 또 술은 다들 어쩜 그리 잘 마시는지! 한참을 먹고 마시다 학생들이 준비한 게임도 했다. 잠시도 빈틈이 없는 이 알찬 구성에 감탄이 절로 나왔다. 놀 땐 제대로 노는 학생들 덕에 방에 들어가 눕자마자 뻗었다.

한여름에 꼭 어울리는 즐거운 종강식이었다.

내 생애의 아이들

여름방학에 연 한국어 동아리는 초반의 기세와는 달리 날이 갈수록 반응이 시들해지고 있다. 몇 주 지나자 학생들이 점점 빠지기 시작했다. 미리 못 온다고 연락을 준 학생들도 있었지만 대부분은 말없이 나오지 않았다. 그러다 시간 되면 나오고, 일이 생기거나 바빠지면 다시 안 나오고….

작년과 같은 모습이다. 지난 여름방학 때는 이 문제로 속앓이를 많이 했었다. 그러나 올해는 이미 겪어 본 일이기도 하고 떠나는 마당에 학생들과 씨름하기 싫어서 마음을 많이 비웠다.

그간의 활동을 마무리하면서 내가 열심히 할 수 있었던 동력이 무엇이었나 생각해 봤다. 나는 단순히 '아이들이 예쁘다'라는 이유만으로 봉사를 다짐하거나 활동을 이어 온 것은 아니었다. 실은 예쁠 때보다 미울 때가 더 많았다. 학생들이 내 뜻대로 움직여 주지 않아 힘들기도 했다.

임지로 부임하고 한 달이 채 안 됐을 때, 그렇게나 귀엽고 순수해 보이던 학생들에게서 다른 모습을 보기도 했다. 시험 중 커닝은 물론이고, 말 한마디 없이 수업을 빼먹을 때, 다 티 나는 거짓말을 꿋꿋이 할 때, 무엇을 지적해도 이런저런 핑계만 댈 때 나는 여러 번 아이들에게 실망했다. 사람마다 좋은 모습을 보일 때가 있고 그러지 못할 때가 있다는 걸 알고 이해해야 하는데, 그러기에는 내가 너무 어렸다.

내 앞에서는 온순한 학생들이 다른 시간에 버릇없이 행동한 얘기를 들으면 아이들이 낯설게 느껴졌다. 때때로 떠듬떠듬 발표하는 친구를 가소롭다는 듯이 바라보거나 뒤에서 쑥덕거릴 때, 의자에 등을 기대고 앉아 나를 평가하듯 쳐다볼 때는 괘씸해서 정이 뚝 떨어지기도 했다.

그럼에도 아이들에게 더 좋은 것을 주기 위해 노력했던 것은 내가 그 아이들을 사랑하기로 결심했기 때문이다. 사랑은 감정과 의지로 유지된다고 한다. 때로는 의지가 더 필요할 때가 있는데 나에게는 아이들과 함께하는 시간이 정말 그랬다.

순간순간 얄밉고 속상해도 사랑하는 마음만은 변하지 않았기에, 내게 사랑은 감정을 표현하는 것뿐만 아니라 그에 뒤따르는 수고도 감내하는 것이었으므로. 아이들이 어떠하든 간에 아이들을 위해 일하고자 노력했다.

'내가 한국에 돌아가면 이 아이들과의 인연은 어떻게 될까?' 이런 상상을 하다 보면 내가 강사로서 누군가를 가르치는 일은 여기까지겠다는 생각을 하게 된다. 이대로 연락이 끊어지거나 다시 만나지 못하는 아이들도 많을 텐데, 그걸 생각하면 마음이 아리기 때문이다. 사람 일이라는 게 어떻게 될지 몰라 장담할 수는 없지만 지금 마음으로는 그렇다.

나는 우리 학생들이 한국에 오면 시간을 내어 만나고 싶고, 그 애들을 보러 다시 베트남에 놀러 오고 싶다. 공부하거나 일하다 내게 도움을 청하면 귀찮아하지 않고 답변해 주며 반갑게 연락하고 싶다. 이 인연만이라도 소중히 이어 나가고 싶다.

서로를 바라보는 눈

베트남에 여행 온 한국 사람들은 여기 사람들이 돈 걱정 없이 사는 것 같아 부럽다고 하고, 우리 학생들은 한국 사람들이 단순하게 사는 것 같아 부럽다고 한다. 베트남에서는 졸업하자마자 취업해야 하는데, 한국 사람들은 여행도 하고 일하다 그만두기도 하며 여유롭게 산다는 것이다.

서로를 바라보는 시선이 어쩌면 이렇게 같을까 싶다. 이들은 알까? 취업난에 시달리던 한국 청년들이 스트레스를 견디지 못해 스스로 목숨을 끊는 경우도 많다는 것을, 해외는커녕 하루이틀 휴가 쓰는 것도 눈치 보면서 일하는 사람들도 많다는 것을.

한국 사람들은 알려나 모르겠다. 많은 베트남 사람들이 투잡, 스리잡을 뛰며 어렵사리 생계를 유지한다는 것을. 더운 날에도 외식비가 아까워 매일 불 앞에서 밥을 지어 먹는다는 것을….

부임 초에는 나도 몰랐었다. 도대체 언제 일하는 건가 싶을 만큼 늦게까지 노래하고 술 마시는 사람들을 보며 참 걱정 없이 산다고 부러워했다. 그런데 이곳에 살면서 찬찬히 둘러보니 그게 전부가 아니었다. 누군가는 월급이 깎여 고민하고, 또 누군가는 한 푼이라도 더 벌려고 땀을 뻘뻘 흘려 가며 일하고 있었다. 식비를 줄이기 위해 좁은 자취방에서 요리하고 냉장고가 없어 날마다 장을 보러 가는 젊은이들, 도시 물가를 걱정해 시골에서 쌀과 반찬을 보내는 부모들, 그리고 부모의 부담을 덜어 주기 위해 밤 11시나 12시까지 고된 아르바이트를 하는 자녀들, 이것은 우리 학생들과 그 가족의 삶이기도 했다.

물론 돈 걱정 없이 사는 사람들도 있다. 베트남 커피는 믿을 수 없다며 스타벅스에 가고 수입한 유기농 식품만 먹는다. 어떤 학생들은 최신 휴대폰을 사용하고 좋아하는 가수의 공연을 보러 해외에 간다. 이런 상황을 어떻게 설명할 수 있을까? 학생들과 그런 대화를 나눌 때마다 우리가 내린 결론은 늘 똑같았다. 어디든 사람 사는 모습은 비슷하다는 것. 부자는 한국에도 있고 베트남에도 있다. 가난한 사람은 한국에도 있고 베트남에도 있다. 다만 그 격차가 점점 커지는 게 걱정될 뿐이다.

그래도 사랑

떠날 때가 되니 사람들이 물어 왔다. 베트남 생활이 어땠느냐고…. 베트남에 대한 나의 최종 평가를 궁금해하며 활동에 대한 소감을 물었다. 무엇을 느꼈는지, 무엇이 가장 보람 있었는지, 내 안의 어떤 점들이 변화됐는지…. 그 질문이 마치 지난 2년을 한 번 정리해 보라는 얘기처럼 들려 나도 가만 물음표를 띄워 보곤 했다. 그러나 쉽사리 답을 내리지 못했다. 끝까지 왜 이렇게 뒤죽박죽일까.

"누군가 저를 필요로 하는 느낌이 좋아요."

함께 협력활동을 했던 다낭외대 학생들에게 봉사에 참여한 이유를 물었더니 이렇게 답했었다. 그때 깨달았다. 타인을 위해 헌신하는 봉사 역시 결국은 자신의 만족을 채우기 위한 일이라는 것을.

나 역시 '보람'이라는 자기만족을 위해 봉사를 결심한 사람이다. 그러나 봉사단원의 보람은 누가 찾아 주거나 일러 주는 것이 아니다. 스스로의 가치관과 기준에 맞게 움직이고 거기서 보람을 느껴야 한다. 그러지 않으면 금세 무력감과 회의감이 찾아올 수 있다. 그래서 나도 2년 내내 부단히 애를 썼다.

해외에서 2년을 살았다고 해서 어떤 큰 변화가 일어나는 것은 아니다. 나는 여전히 게으르고 정리정돈을 안 하며 핑계를 잘 댄다. 가져갈 짐을 줄이지도, 욕심을 내려놓지도 못한다. 되지도 않는 고집을 부릴 때가 많으며 힘들 땐 땅 파 놓고 그 속으로 들어가려 한다.

그래도 분명 자기 성찰의 시간은 있었다. 그다지 바쁘지 않은 생활이었기에 틈만 나면 나를 돌아보곤 했다. 그러면서 내 안에는 어느 한 마디로 정의할 수 없는 나의 모습이 있다는 것을 발견했다. 조화롭지 못한 말 같지만 나는 생각보다 예민하고 우직한 사람이었다. 그리고 평소 자신 있어 하던 일에서 고꾸라지기도 하고, 처음 하는 일이라 두려워하던 것도 막상 해 보면 그럭저럭 잘 해내기도 했다. 그러니 나 스스로를 하나로 정해 놓고 너무 자만하거나, 반대로 너무 과소평가해서도 안 된다는 것을 알게 됐다.

그렇다면 베트남은? 누군가 내게 베트남이 좋았냐고 물어보면 그 즉시 고개를 끄덕이진 못할 것 같다. 내가 처음부터 마음을 활짝 열지 못한 면도 있지만, 베트남 역시 내게 늘 호의적이지만은 않았으니까.

베트남. 내게 '선생님'이라는 호칭을 선물한 나라. 추운 밤에 마시는 차 맛을 알게 해준 나라. 미지근한 과일을 거부감 없이 먹게 만든 나라. 부화 직전의 오리알과 갯지렁이를 맛보여 준 나라. 내가 좋아하는 커피 향을 실컷 맡게 해주고 역류성 식도염도 안겨 준 나라….

이놈의 베트남. 나를 감정의 롤러코스터에 태운 나라. 한없이 많은 눈물·콧물과 잠 못 이루는 밤을 선사한 나라. 나를 수준급 욕쟁이로 만든 나라…. 미웠다. 이곳엔 내 신경을 긁고 마음을 불편하게 만드는 게 너무나도 많았다. 이해하려 노력하다 보니 어느새 2년의 세월이 흘렀다.

그래서 베트남이 지겹냐고 묻는다면 그것 또한 아니다. 나는 진심으로 베트남을 아낀다. 이곳 사람들 모두가 잘살았으면 좋겠다. 우리 학생들뿐만 아니라 길에서 마주치는 낯선 사람들까지…. 단순히 돈만 많이 버는 것이 아니라 여러 기준에 맞춰 보아도 행복하다고 할 수 있는 삶을 꾸려 나가길 바란다.

베트남을 생각하면 언제나 모순된 감정이 들었다. 나는 의지로 감정을 덮으며 2년을 보냈다. 잘 이해되지 않고, 사랑스럽지 않은 순간들도 사랑하려 노력했다. 아예 좋기만 했다면 오히려 후련하게 떠날 텐데…. 밉고도 정든 마음이 나를 다시 베트남으로 인도할 것만 같다.

정리되지 않는 말들을 잔뜩 늘어놓고 보니 그래도 '사랑'이라는 마음이 가장 크게 남는다.

다시 돌아오게 될까?

활동 국가에 대한 단원들의 평가는 크게 두 가지로 나뉜다. 너무 좋아 재방문을 다짐하거나 그쪽으로는 침도 안 뱉을 거라며 치를 떠는 경우다.

전자인 사람들은 정이든 도움이든 받은 것이 너무 많아 한 번쯤 다시 가고 싶다고 한다. 개인적으로는 방문하기 어려운 곳이라 더 애틋하고, 거기서 힘든 시간을 보냈기 때문에 오히려 더 그립다고도 한다. 반면 후자에 속하는 단원들은 현지 사람들에게 너무 데여서, 2년 동안 징글징글하게 속고 싸우며 지냈기 때문에 생각만 해도 진저리가 난다고 한다. 글쎄, 나는 어떨까?

전에 봉사단원들의 수기집을 읽다가 이해하지 못한 말이 있었다.
'주러 왔지만 받고만 갑니다.'

아이고, 서로 주고받은 거지 뭘 또 받기만 해. 지나친 겸손 아닐까?

역시 겸손하지 못한 나는, 내가 줄 수 있는 것은 다 줬다고 생각하고 있다. 그래서 큰 아쉬움은 없다. 무엇을 받았는가도 생각해 보지 않으련다. 주러 왔다면 굳이 받을 필요도, 못 받았다고 서운함을 느낄 필요도 없다.

대신 내가 무엇을 어떻게 주었는지는 돌아보게 된다. 건강한 마음으로 주었는지, 내 욕심을 섞지는 않았는지, 몸과 마음을 사리느라 대충 해 놓고 핑계를 대지는 않았는지…. 그러게 말이다. 나는 주려던 것을 과연 '제대로' 주고 떠나는 걸까?

내가 그리 좋은 선생은 아니었음을 고백한다. 나는 딱히 유능한 동료도, 친절한 이웃도 아니었다. 나의 부족함을 인정하고 나니 그럼에도 나를 아껴 준 사람들이 하나둘 떠오른다. 때로는 밉고 서운한 감정도 들었지만 지금 돌이켜보면 고마운 마음이 제일 크게 남는다.

기관에서 열어 준 송별회 때 "베트남에 다시 돌아올 거냐"는 질문을 받았다. 나는 "사람들 만나러는 다시 올 것"이라고 대답했다. 다 못 만나고 가는 우리 학생들, 보고 싶을 기관 사람들…. 내게 친구가 돼 준 모든 이들이 그리울 거다.

쥐가 발에 차인 날

귀국을 앞두고 매일같이 학생들을 만났다. 하루에 두 탕 세 탕을 뛰느라 체력도 돈도 소진돼 갔다. 안 바쁠 때 자전거도 배우고 아직 못 가본 다낭 근교도 좀 다니고 싶었는데 만나자는 학생들 말에 하나씩 포기하고 말았다. 지금이 아니면 영영 못 만날지도 모른다는 생각 때문이었다.

여느 때처럼 학생들을 만나고 기분 좋게 귀가하는 길. 갑자기 등장한 오토바이 소리에 놀랐는지 골목 멀찍이서 쥐 몇 마리가 사방팔방 뛰어다녔다. 족히 대여섯 마리는 돼 보였다.

이 많은 쥐가 다 어디서 나온 걸까? 생각해 보니 집 근처에 식당이 많아 낮에도 쥐가 돌아다니기는 했다. 그래도 사람을 무서워하는지

한두 마리 보이다 말았는데 밤이 되니 아주 활개를 치고 있었다.

베트남 쥐는 유독 꼬리가 길고 크기도 크다. 원래도 큰 쥐가 식당 밥을 먹고 살면 더 뚱뚱하고 둔해진다.

저들끼리 뛰어다니다가 혹여 내 쪽으로 올까 싶어 휴대폰 손전등으로 발밑을 비추며 걸었다. 그러다 학생에게서 '잘 들어갔냐'는 연락이 와 잠시 멈췄다가 발을 떼는 순간, "퍽" 소리가 났다.

너무 놀라 펄쩍 뛰고 보니 눈앞에서 쥐 서너 마리가 정신없이 도망갔다. 방금 내 발로 찬 거… 그거 맞지? 발에 닿은 둔탁한 느낌을 지울 수가 없었다. 순간 고양이인가 싶을 정도로 무거웠기 때문이다. 놀랄

노자였다. 고양이도 아니고 쥐가 발에 차이다니! 이런 건 별로 그립지 않을 것 같은데, 베트남은 정말 별 추억을 다 선물해 준다.

며칠 뒤, 카페 앞에서 택시를 기다리는데 뭔가가 따끔했다. 발목에 깔끄러운 느낌이 들어 쳐다보니 이번엔 바퀴벌레! 엄지손가락만 한 게 복숭아뼈 근처에서 방향을 못 잡고 돌아다니고 있었다. "악" 소리가 절로 나왔다.

베트남에 2년을 살면서 한 번도 이런 적이 없었는데, 요즘 왜 이러는 걸까? 내가 밤마다 편지 쓰다 우는 것을 아는지 끝까지 감동으로 마무리하게 놔두지를 않는다. 덕분에 베트남에서의 시간이 마냥 미화되지만은 않을 것 같다.

그래, 내 지난 시간에는 쥐와 바퀴벌레뿐만 아니라 도마뱀과 모기, 진드기도 있었지.

뜨거운 안녕

"이두리! 이두리! 사랑해요, 이두리!"

공항 검색대를 통과하기 전, 일렬로 늘어선 학생들이 내 이름을 외쳐댔다. 눈물이 펑펑 날 줄 알았던 출국일은 민망스러운 웃음으로 가득했다.

다낭을 떠나기 전, 나는 가리비를 먹다가도 울고 고기를 먹다가도 울었다. 다낭을 떠나는 것이, 이 좋은 사람들과 더이상 함께하지 못한다는 것이 아쉬워서 정말 빌미만 생기면 울었다. 소감이든 뭐든 내게 아무것도 물어보지 말라고 할 정도였다.

뭐가 그렇게 아쉬운지 KOICA 사무소에 비행기표도 제일 늦은 것으로 끊어 달라고 요청했다. 끝까지 구질구질, 세련되게 떠나지를 못

한다. 그래도 2년을 마무리하는 이 순간에 이렇듯 마음속에 아쉬움이 남아 감사했다. 진저리를 치며 떠나는 게 아니라 기뻤다.

멀리서 나를 배웅하러 와 준 KOICA 단원들과 함께 저녁을 먹고 공항으로 갔다. 편한 옷을 입고 갈까 하다가 학교 선생님들이 선물해 준 아오자이로 갈아입었다. 이미 공항에 도착한 학생들, 늦게라도 나를 보러 오겠다는 학생들의 연락으로 휴대폰이 쉴 새 없이 깜빡였다. 공항이 익숙지 않아 길을 못 찾는 학생들에게 열심히 사진을 보내 가며 설명하다 보니 정신이 하나도 없었다.

기념품도 제대로 못 사서 수화물과 캐리어 무게는 여유 있었다. 탑승 수속을 밟고 나오자 단원들이 '짜잔' 하고 준비한 현수막을 펼쳤

다. 순간 너무 놀라고 감동해 어안이 벙벙했다. 의외로 눈물 대신 웃음이 나왔다. 다들 내가 안 운다고 신기해했지만 실은 내가 더 신기했다. 너무 놀라면 눈물도 안 나오나 보다.

다낭에서 인연을 맺은 지인들도 공항에 나와 주었다. 잠깐 얘기를 나누는 사이에 하나둘씩 학생들이 찾아왔다. 몇몇 애들은 완전히 땀범벅이었다. 길을 헤매 국내선에 갔다가 돌아왔단다. 공항 내에는 오토바이 주차가 금지돼 있기 때문에 멀찍이 주차한 뒤 한참을 걸어 와야 하는데, 그 수고로움을 참고 배웅을 와 줘서 고맙고 미안했다.

그러나 우리는 오늘 서로 '고맙다'와 '보고 싶다'라는 단어를 쓰지 않기로 했다. 그 말을 들으면 진짜 눈물이 날 것 같아 학생들에게 몇 번이고 당부했었다. 학생들은 나에게 정성스레 준비한 편지며 선물을 건넸다. 어머님이 준비해 주셨다며 반찬통에 담은 음식을 전해 주는 학생도 있었다. 고맙기보다 미안한 마음이 더 컸다. 내가 뭘 그리 잘해 줬다고….

서로 슬퍼하는 틈을 주기 싫어 나는 마지막까지 열심히 공부하라는 잔소리를 해댔다. 학생 하나가 친구의 사정을 대신 전해 주었다. 공항에 오려고 했는데 내 얼굴을 보면 눈물이 날 것 같아 오지 못했다고, 따로 문자를 남겼을 거라고 했다. 그건 내가 아이들에게 미리 해 둔 얘기였다. 너무 늦은 시간이니 나오지 말라고, 와서 울 것 같으면 오지도 말라고….

학생들을 보면 눈물을 못 참을 줄 알았는데 막상 만나니 그렇지도 않았다. 생각보다 너무 많은 학생이 와서 정신이 없고 울 겨를도 없었다. 웃으며 헤어지자는 결심을 지킬 수 있어 다행이었다.

밤 11시 비행기라 시간이 넉넉할 거라 생각했는데 영 아쉬웠다. 인사하다 보니 벌써 들어가야 할 시간이 됐다. 한 학생이 9시에 수업 끝나면 달려오겠다고 했는데 그 얼굴을 못 보고 가면 어쩌나 애가 탔다. 다행히 공항 검색대 앞에 줄을 서기 전에 그 학생을 만날 수 있었다. 마지막 인사를 마치자 9시 40분, 이제는 정말 헤어져야 할 시간이었다.

앞에 죽 늘어선 사람들을 따라 나는 조금씩 앞으로 가고 아이들은 줄을 따라 늘어서서 인사를 건넸다. 소녀 팬처럼 사진과 동영상을 찍으며 환호하는 아이들에게 나도 장난스레 손 키스를 날려 주었다.

정신없이 악수하고 인사하다 고개를 든 순간, 모두가 내 이름을 외치기 시작했다.

"이두리! 이두리! 사랑해요, 이두리!"

사방에서 사람들이 쳐다보는 게 느껴졌다. 당황스럽고 민망했지만 뭉클한 마음이 더 컸다. 그 귀여운 아이들을 뒤로하고 나아가는 걸음이 무거웠다. 내가 출입 통제지역으로 들어서고 나서야 배웅 나온 이들이 하나둘 떠나갔다. 이제 진짜 마지막이구나 싶어 긴장이 풀리고 멍한 기분이 됐다.

하지만 그 기분도 오래가지는 않았다. 출국 심사 중 갑자기 제동이 걸렸기 때문이다. 20분 넘게 서 있다가 부랴부랴 탑승구로 가니 이미 탑승이 시작된 후였다. 급한 대로 짐을 세워 두고 화장실로 달려갔다. 손을 씻는 사이 탑승 마무리를 알리는 라스트 콜이 울려 퍼졌다. 전속력으로 뛰어 비행기를 탔다. 기내에 짐을 싣고 자리를 찾아 앉으니 그제야 안도의 한숨이 나왔다.

기내 소등을 할 때쯤 까무룩 잠들었던 나는 착륙을 예고하는 방송에 잠이 깼다. 지난 2년간 한국에 가기는커녕 베트남에서 한 번도 나오지 않았기에 왠지 떨렸다. 내가 없는 사이 한국은 얼마나 변했을까.

입국을 환영한다는 글자가 반가워 사진부터 찍었다. 평소처럼 '깜언'이 아닌 '고맙습니다'로 인사하는 것이 신기했다. 잠시 들른 화장실에서는 감탄이 나왔다. '아니, 화장실이 이렇게 빛날 일이야?'

마중 나온 가족들을 만나 차에 짐을 싣고 도로를 달렸다. 길에 오토바이가 없는 것도 신기하고 차가 빨리 달리는 것도 신기했다. 이른 점심으로 비빔국수를 먹었다. 사실 다낭에도 한식당은 많았고, 한인마트에서 식료품을 사다가 얼마든지 한식을 만들어 먹을 수 있었다. 그래서인지 베트남에 있으면서 딱히 한국이 그리운 적은 없었는데, 막상 한국에 오니 별것이 다 반가웠다. 한글로 된 표지판, 넓고 깨끗한 인도, 디지털 도어록…. 이 익숙함, 예상 가능한 편안함….

언니는 며칠 전부터 내게 먹고 싶은 것, 하고 싶은 것을 물어보더니 짐도 풀기 전에 밖으로 나가자며 내 손을 이끌었다. 미용실에 들러 머리를 하고 한동안 유행했다는 명란 바게트도 사 먹었다. 그러고 있

자니 다낭에서 보낸 시간이 꿈결같이 느껴졌다. 마냥 그리울 줄 알았는데 금세 '내 삶에 그런 기간이 있었나' 싶을 정도로 흐릿해졌다. 내가 그 오랜 시간 해외에 있었다니, 믿기지 않는다.

끝이 있다는 것을 알았기에 달려올 수 있었던 걸까. 내게 2년간의 다낭살이는 애증의 줄다리기였다. 지지 않으려고 애를 써야만 했다. 이제 그 기나긴 줄다리기가 끝났다. 귓가에는 승전가 대신 나를 부르던 학생들의 목소리가 쟁쟁하다. "썬쌤님!" 하는 낭랑한 목소리. 그 속에 담긴 다정함.

짐을 풀다 학생들이 쓴 편지를 읽어 봤다. 다시 눈물이 났다.

thank you

마지막 다낭 소리

우리 사랑하는 이두리 선생님께.

인생에서 만나는 각자는 우리와 인연이 있다고 믿습니다! 선생님을 만나는 것, 이렇게 인연을 만들어 가고 굉장히 좋습니다. 수업 첫날을 기억하니, 그날에 나는 안경을 쓰지 않았고, 아름답거나 못생긴 사람이 누구인지 잘 몰랐습니다.
너무 궁금했네!

빨간 드레스를 입은 소녀와 서울 표준 목소리만 알고 있었습니다. 그녀는 내가 전에 배운 교사들과는 다른 매우 열정적이고 매우 매력적인 교수법입니다.
선생님과 함께 공부하는 시간이 별로 없다는 것은 안타깝습니다.
그런데 선생님께서 배운 것은 많이 있습니다. 전문/전공 지식뿐만 아니라 삶의 방식과 고운 마음씨도 배웠습니다. "똑바로 산다."

내 주위의 모든 것에 성실하고 열정적으로 행동하는 방법을 가르쳐 주셔서 감사합니다. 자원봉사활동에 참여할 수 있고 다른 선생님들과 만나는 기회를 주셔서 감사합니다. 유학에 대한 조언과 청소녀들의 걱정하는 것도 도와주셔서 너무 감사합니다.

항상 맛있는 걸 사주고 더 친하도록 시간을 내어주셔서 감사합니다. 무엇에 대해 얘기하는지 모르는 경우에도 저희가 말하기 연습 위해 항상 이야기해서 감사합니다. 무엇보다도 항상 우리의 의견을 들어 주셔서 감사합니다. 모든 것에 대해 감사드립니다!

어디든지 항상 열정적인 이 선생님이 되고 항상 웃고 항상 사람들을 도와주고 항상 사랑스럽기를 바랍니다. 교사라는 직업을 영원히 불 태워라! 사랑해요.

-대단한 학생, 김재은(니)-

밥 잘 사주는 예쁜 샘께

쌤! 요즘 똥똥해진다고 했는데… 그래 보이네요. 계속 이러면 엄마님께서는 걱정하실 거예요. 지금부터 고기 먹지 마요. 농담이에요. 제 눈엔 이제의 쌤이 딱 좋아요. 실컷 먹고 에너지가 넘친 모습이에요.

2년이 정말 빨리 지났네요. 쌤은 저한테 해주던 게 엄청 많은데… 상세히 얘기하지 않고 그냥 "제 대학 시절에 나타나서 고마워요!"

쌤 안녕히 가세영~ 항상 건강하고 예쁘고 행복하고 모든 소원을 다 이루세영~ 쌤 가족께도 안부 전해 주세영. 글고 꼭 다시 만나요~

-구운 소고기 좋아하는 짬-

#밥 잘 사주는 이쁜 두리 샘께

저와 샘의 인연이 어떻게 시작한 건가요?
어느 날씨가 좋은 날에 쌤이 교실에 들어 오셨고 저의 선생님이 됐어요.
우리 만난 게 벌써 이 년이 됐어요. 시간이 언제부터 이렇게 빨리 흘렀나요?

저희를 가르쳐주시는 열정이 진짜 너무 감사했어요.
항상 강의를 잘 준비하시고 항상 저희가 재미있게 공부할 수 있기 위해
새로운 가르치는 법을 찾으시고 항상 잘 챙겨 주시는 대단한 두리 쌤이에요.
저는 쌤의 수업을 너어어무 좋아하거든요. 진심으로.

그리고 꽝찌에 같이 했던 봉사활동도 저에게 가득한 보람 있는 경험으로
남았어요. 선물도 같이 준비하고 춤도 같이 연습하는 게 얼마나 좋았어요.
쌤과 함께하는 시간들은 다 소중한 추억이에요. 작별하고 싶지 않지만
어떤 만남이라도 이별이 있어야 하는 거죠. 그동안 진짜 고마웠어요.
우린 꼭 다시 만날 거예요.

'첫 인연이 시작되고 어찌어찌하다 보면
10년 동안도 얼굴 보고 반가운 사이가 됩니다.'
쌤 잘 가세요. 나중엔 한국에서 만나서 같이 놀러가요

-세상에서 젤 귀여운 냔-

항상 응원해주는 귀여운 쌤!

시간 빠르게 지나네요. 벌써 1년 됐어요. 그동안 쌤 수고 많았어요.
쌤 덕분에 수업을 재미있게 보냈고 한국에 더 관심 있어졌어요.
한국말 능력도 많이 늘었어요. 선생님의 동아리를 통해 많은 것과 많은 노래를
배웠고 음치부터 천천히 능력자가 되고 있어요.

그동안 저를 항상 응원해 주고 힘들 때 항상 위로해 주고 제 말을 잘 듣고

제 마음을 잘 이해해 주고 정말 고마워요. 그런데 쌤 앞에 자신감 없는 학생의 모습을 항상 보여줘서 미안해요. 연습하기 위해 선생님한테 연락하라고 했는데 한 번도 안 했으니까 미안해요.

우린 다시 꼭 만나서 안녕하는 말을 안 할 거예요. 꼭 만날 거예요.
전 자주 연락할게요. 절 잊지 마요. 한국에 돌아가면 건강하고 행복하세요.
잘 가요 쌤.

-예쁜 학생 홍 늉-

우리 이쁜 대단한 사랑하는 선생님께

시간이 진짜 빠르지만 사람들 사이에 아마 제일 좋은 방법이에요.
아름다운 이야기를 쓸 수 있어서요.

처음 만날 때 제가 2학년이죠! 읽기 수업인데 쌤 처음 만나서 조금 소심했어요. 근데 항상 우리에게 인내한 마음 갖고 재미있는 수업 줬어요. 쌤은 달콤한 사탕을 주고 소심한 학생의 마음이 열었어요.

광찌에서 같이 봉사활동을 할 때도 다른 모습 보여줬어요. 따뜻한 마음을 가져오고 아이들 위해서 많이 노력한 모습이 진짜 멋져요. 제 원래 평범한 날에 쌤이 아름다운 인연이 됐어요. 같이 공부하든 같이 봉사활동하든 같이 놀러가든 모든 순간이 정말로 큰 의미 남았어요.

쌤 덕분에 열심히 적극적으로 살고 다른 사람이랑 나누는 마음 배웠어요.
멀리 한국에서 베트남까지 뜨거운 마음 가져와서 진심으로 고마웠어요.

쌤, 항상 이쁘고 행복하고 사랑스러워요! 나중에 꼭 다시 만나요, 우리….

-mai yeu, 영원히 사랑해요, 짜-

글을 맺으며

귀국을 앞둔 어느 날, 여느 때처럼 오토바이 택시를 타고 스쳐 지나가는 풍경을 눈에 담았습니다. 초록색 아오자이를 입고 오토바이에 올라타 멋지게 달리는 소녀. 오토바이 뒤에 얼음 자루를 수북이 올려놓고 배달 가는 아저씨. 그 뒤로 뚝뚝 흘러내리는 물방울….

베트남에서 늘 봐 왔던 모습인데도 이제 더는 못 본다고 생각하니 아쉬운 마음이 들어 급하게 사진을 찍었습니다. 그러곤 이내 흔들려서 초점이 안 맞은 사진들을 지우면서 '해리포터에 나오는 개구리 초콜릿 속 카드처럼 내가 보는 풍경을 어딘가에 그대로 담아둘 수 있다면 얼마나 좋을까' 하는 생각을 했습니다. 삶이 즐겁지 않을 때 하나하나 꺼내 보며 추억하고 싶었거든요.

제게는 그만큼 좋았던 경험이라 만나는 사람 누구에게든 KOICA 해외봉사를 자신 있게 추천하지만, 막상 제게 '뭐가 그렇게 좋았느냐'고 물어보면 어쩐지 한두 마디로 정리되지가 않습니다.

아쉬운 대로 지난 2년간의 경험담을 풀어 쓴 이 책에는, 제가 현지에서 경험하고 느낀 바를 과장 없이 담으려고 노력했습니다. 혹시 해외봉사를 준비하는 분들께 해외봉사 경험의 좋은 면만 포장해서 환상을 심어 주거나 고생담을 강조해 괜한 겁을 주고 싶지 않았기 때문입니다.

부족한 글솜씨로 적어 본 저의 단원생활이 해외봉사를 꿈꾸는 분들께는 자신감을 심어 주기를, 봉사의 길을 걷고 있는 분들께는 조그마한 위로가 되기를 바랍니다. 그리고 이 기억이 흐릿해질 때쯤, 저는 좀 더 성숙한 사람이 돼 다음 여정을 떠날 수 있기를….

World Friends Korea는 무엇인가요?

1

월드프렌즈코리아(World Friends Korea, WFK)는 대한민국 정부파견 해외봉사단의 통합 브랜드이며, 6개 부처에서 9개 봉사단 파견 프로그램을 수행하고 있습니다. 도움을 받는 나라에서 도움을 주는 나라로 성장한 경험을 통해, 개도국 이웃들의 어려움을 누구보다 공감하는 우리 국민들의 따뜻한 마음을 표현하는 이름입니다.

소관부처	수행기관	프로그램	특징	활동기간
외교부	한국국제협력단 (KOICA)	WFK KOICA 봉사단	한국 최초 해외봉사 프로그램, 개도국 파견지역 커뮤니티에 장기 거주하며 직종별 전문 봉사활동 실시	1~2년 (세부 사업별 상이)
		WFK KOICA 자문단	행정·교육·보건 분야 퇴직전문가를 파견하여 개도국 공공정책 컨설팅	1년 (최대 3년)
산업통상자원부	정보통신산업진흥원(NIPA)	WFK NIPA 자문단	정보통신, 산업기술 분야 퇴직전문가를 파견하여 개도국 공공정책 컨설팅	1년 (최대 3년)
과학기술정보통신부	한국연구재단 (NRF)	WFK 과학기술지원단	이공계 전문인력 파견을 통한 개도국 과학기술발전 지원	1년 (최대 3년)
	한국정보화진흥원 (NIA)	WFK IT 봉사단	IT전문인력 파견을 통한 개도국 IT인재양성 지원	4~6주
보건복지부	대한한의약 해외의료봉사단 (KOMSTA)	WFK 한의약봉사단	현지 의료인 세미나 및 보건교육 등 각종 질병 예방과 의료서비스 제공	1주, 1~2개월
교육부	한국대학사회봉사협의회 (대사협)	WFK 청년봉사단	대학생 단기봉사 프로그램, 현지 대학생과 공동 활동 포함	2~3주
	태평양아시아협회(PAS)			
	국립국제교육원 (NIIED)	WFK 교원해외파견 사업	우수한 교원 파견을 통한 개도국의 기초교육향상 지원 및 균등하고 보편적인 교육기회 제공	1년 (최대 3년)
문화체육관광부	세계태권도평화봉사재단(TPC)	WFK 태권도 평화봉사단	태권도 봉사단 파견을 통한 국가의 위상과 세계평화 제고	4~5주, 6개월이내

※ 코이카(KOICA)는 WFK 봉사단을 총괄 및 조정하는 역할을 하고 있으며, 한국 해외 봉사단의 발전을 위해 노력하고 있습니다.

월드프렌즈 코리아 KOICA 봉사단

2

최초 파견 연도부터 현재까지 파견이 진행되고 있는 KOICA 봉사단은 2019년 통계 기준 2694명의 단원이 전 세계 46개 국가에서 활동하였으며, 다양한 유형의 프로그램을 제공하고 있습니다. 개발도상국 주민들과 함께 생활하며 기술 지원 및 교류 활동을 통해 그들의 삶의 질을 높이고, 더 나아가 우리나라와 파견국의 상호이해 증진에 기여하게 됩니다.

프로그램	활동내용	활동기간
일반 봉사단	개발도상국 수요를 바탕으로 공공행정, 교육, 농림수산, 보건, 기술환경에너지 등 다양한 전문 직종에서 봉사활동	1~2년
프로젝트 봉사단	분야별 전문성을 갖춘 기관과의 협력을 통해 중장기 성과 달성을 목표로 하는 성과 중심의 팀제 프로젝트형 봉사활동	1년
NGO봉사단	개발도상국에서 활동하는 NGO 사업현장에 파견되어 개발 프로젝트 지원 활동	1년
KOICA-UNV 봉사단	KOICA와 UN봉사단 파견기관인 UNV 공동 프로그램으로 개도국 주재 UN 산하기관에서 활동	6개월(+6개월)
청년중기봉사단	대학생 팀제 봉사활동	5개월
드림봉사단	특성화고/마이스터고 졸업 또는 졸업예정자가 본인의 재능을 전수	1년

KOICA 해외봉사단은 개발도상국의 지속 가능한 경제·사회 발전을 돕기 위한 공적개발원조 ODA 사업의 하나입니다

VISION
비전

3

파견 유형별 지원조건

일반봉사단 / 프로젝트 봉사단

- 봉사정신이 투철한 만 19세 이상 대한민국 국적 소지자
  (만 50세 이상, 해당 직종 10년 이상 경력자는 시니어 단원으로 지원 가능)
- 남자는 군복무를 필했거나 면제된 자
- 해당 국가가 요청하는 자격기준에 해당하는 자
- 해외여행에 결격사유가 없는 자
- 해외봉사활동을 수행하는 데 심신이 적합 또는 건강한 자
  - 의료 환경이 열악한 개도국에서 활동해야 하는바, 엄격한 신체검사 기준 적용
- 국가공무원법 제33조의 결격사유에 해당되지 않는 자

KOICA-UNV 봉사단

- 파견기간 기준 만 18~29세인 자
  - 남자의 경우 병역을 필했거나 면제된 자
- 아래 기준을 충족하는 대학 또는 대학원 재학·휴학생·졸업예정자(졸업자 제외)
  - (대학생) 파견 이전 대학 2학년 1학기까지 수학 완료한 자(학기 수정)
  - (대학원생) 파견 이전 대학원 입학 완료한 자
  - 대학원 재학 중인 취업자의 경우 국내교육 시작일 전까지 개별적으로 신분정리 (퇴직, 휴직 등) 필요
- 국가공무원법 제33조의 결격사유에 해당되지 않는 자
- 해외봉사활동을 수행하는 데 심신이 적합 또는 건강한 자
- 해외여행에 결격사유가 없는 자
- 해당 파견기관이 요청하는 자격기준(전공, 경력 등)에 해당되는 자

KOICA 자문단

- 해외봉사 의욕을 가진 관련 직종 퇴직(예정) 전문가로서 해당 직종 10년 이상 실무 경력이 있는 자 또는 이와 동등한 자격이 있는 대한민국 국적을 가진 자
- 영어(수원국 공용어)로 강의, 자문 및 보고서 작성 등이 가능한 자
- 기타 파견 대상국에서 요구하는 자격을 갖춘 자
- 6개월 이상의 해외생활이 가능한 신체 건강한 자

다양한 분야와 직종을 선발합니다

4

공공행정

파견국의 행정제도 효율화 및 정책 선진화를 위하여 전자정부 및 개발계획 수립지원, 관광자원 개발 등 개도국의 정책적 역량 개발 강화에 힘쓰고 있습니다.

직종 | 관광, 사회복지, 국제개발

보건·의료

의료혜택을 받기 어려운 마을 단위에서의 보건교육과 모자보건, 식수개발, 위생교육 등의 기초 보건환경 개선에 주력하고, 전반적인 의료시스템 구축 업무도 함께 수행하고 있습니다.

직종 | 간호, 물리치료, 보건일반, 임상병리, 방사선

교육

역량개발과 자립발전의 토대로 생산적이며 궁극적으로 경제 및 사회개발에 직접 기여하게 됩니다. 초등교육, 컴퓨터, 태권도, 직업기술교육 등의 직종으로 중점 파견되고 있습니다.

직종 | 과학교술, 미술교육, 미용교육, 요리, 유아교육, 음악교육, 제과제빵, 청소년 개발, 체육교육, 컴퓨터교육, 특수교육, 초등교육, 한국어교육, 사서, 수학교육

농림수산

품종개량, 관개 수리, 작물 다양화, 양식기술 등 농어촌의 생산성 향상과 소득증대를 위한 선진기술을 전수하고 있습니다.

직종 | 농업, 수산/어업, 지역개발, 축산, 식품가공

기술환경에너지

현재 개도국에서는 급격한 인구증가와 도시화에 따른 사회기반시설 구축과 국토의 효율적 이용에 대한 필요성이 증대되고 있습니다. 교통 및 에너지 인프라 개선, 국토관리 기반 조성, 방송통신 등의 분야로 파견되고 있습니다.

직종 | 건축, 기계, 섬유/의류, 용접, 자동차, 전기/전력, 전자, 환경

당신의 해외봉사활동을 지원해 드립니다

5

국내훈련, 현지적응훈련 및 봉사활동기간 중
안전하고 효과적인 활동을 위해 각종 지원을 받게 됩니다.

파견 전	**국내훈련기간** • 국내훈련수당 및 훈련용품 지급 • 예방접종 및 휴대용 안전장비 지급 • 재해보상 **출국준비기간** • 여권 및 비자발급 지원 • 왕복항공료 및 화물탁송료 지원 • 출국준비금 지급

파견 후	**현지정착비** • 주거비 및 생활비(파견국 물가수준 고려 지급) **활동지원** • 활동물품 구입비, 현장사업 및 협력활동 지원비 등 • 봉사단 유숙소 혹은 바우처 제공 **건강 및 안전관리** • 재해 및 상해보험 가입 • 긴급후송서비스(SOS) 재난 발생 시 안전한 지역으로 이송 • 의료지원 상해·질병 치료비 지원 • 구급함, 재난키트 등 현지 활동에 필요한 안전장비 지원 • 연간 정기 건강검진 실시 • 24시간 의료 및 심리 상담

활동 종료·귀국 후 다양한 기회가 제공됩니다

(단, WFK봉사단별로 지원내역은 차이가 있습니다.)

6

커리어적립금

장기간 해외봉사활동을 마치고 귀국한 해외봉사단원의 국내 정착지원을 위해 활동기간 중 매월 일정 금액을 적립하고 귀국 후 지급합니다.

KOICA/WFK 장학사업

KOICA는 월드프렌즈 해외봉사단이 봉사활동 경험을 활용하여 개발협력 전문가로 성장할 수 있도록 귀국단원 장학제도를 운영하고 있습니다.

봉사활동 분야·지역 및 국제개발협력 관련 전공의 국내외 소재 대학원에 재학 중이거나 입학 예정인 귀국 단원이 장학제도를 통해 선발되는 경우, 학비의 75%(연간 1000만 원 한도)를 지원받을 수 있습니다.

국내 봉사단 네트워크

귀국봉사단 모임인 한국해외봉사단원연합회(KOVA) 및 국내 지역별 커뮤니티(수도권 포함 총 9개)가 조직되어 있으며, 협력단에서는 해당 조직들의 활동을 지원합니다.

취업지원

해외봉사활동을 통해 습득한 현지어 능력, 지역 전문성, 프로젝트 경험 등을 사회에서 활용할 수 있도록 취업지원센터 (개발협력 커리어센터/http://job.koica.go.kr)를 운영하고 있습니다.

창업지원(리턴 프로그램)

글로벌 인재의 사회적경제 분야 취·창업을 목표로, 입상팀들을 대상으로 사업비 지원, 정기교육 및 컨설팅을 통해 창업 전 사업화 경험을 지원합니다.

국제협력활동 지원

임기만료 귀국 단원은 KOICA 신입직원 채용 시 가산점을 부여하며, 코디네이터 지원 시 우대하고 있습니다.

더 좋은 세상 함께 만들어 가요

7

KOICA는 글로벌 사회적 가치를 실천하는 대한민국 개발협력 대표기관으로서 사람 중심의 평화와 번영을 위한 상생 협력의 ODA를 추진해 나가고 있습니다.

KOICA는 우리 정부의 대개도국 무상협력사업을 전담 실시하는 외교통상부 산하 정부출연기관으로 1991년 4월 설립되었고 프로젝트, 해외봉사단파견사업, 국내초청연수 등 다양한 사업을 통해 개발도상국의 경제·사회 발전을 지원하고 있습니다.

해외봉사단 모집선발상담센터

주소

글로벌인재교육원(서울) 교육본부 1층 코이카봉사단 모집상담파트
(서울시 서초구 헌릉로 15-18 (구 염곡동 304-3))

운영시간

09:00~18:00 (점심시간 12:00~13:00)

전국공통전화

1588-0434

홈페이지

http://kov.koica.go.kr

모집상담 이메일

kov1@koica.go.kr

ODA란?
(공적개발원조)

개발도상국의 경제·사회 발전 및 복지증진 등을 주목적으로 하는 원조로, 공적개발원조 또는 정부개발원조라고도 하며, KOICA에서는 교육·보건의료·농림수산·공공행정·범분야 등 다양한 분야에서 국별협력, 글로벌연수, 해외봉사단 파견, 민관협력 등의 형태로 세계 52개 협력국에서 ODA를 수행하고 있습니다.

KOICA 협력국 리스트
(52개국)

SDGs 소개

(지속가능개발목표)

국제사회는 글로벌 문제를 해결하고자 경제성장, 사회발전, 환경지속성을 3대 축으로 하는 지속가능개발목표(Sustainable Development Goals, SDGs)를 채택했습니다. SDGs는 2030년까지 세계빈곤을 종식하고 지속가능개발을 구현하기 위한 17개 목표와 169개 세부목표로 이루어져 있습니다.

주재원 3개국

프랑스(OECD 대표부)
미국(UN 대표부)
제네바(Geneva 대표부)

미국(UN 대표부)

아시아 14개국

네팔	방글라데시	캄보디아
동티모르	베트남	파키스탄
라오스	스리랑카	피지
몽골	아프가니스탄	필리핀
미얀마	인도네시아	

과테말라
도미니카(공)
온두라스
코스타리카
엘살바도르

월드프렌즈사무소 3개국

태국 부탄 솔로몬 군도

콜롬비아
에콰도르
중남미
페루
볼리비아
파라과이

지

중남미 8개국

과테말라	에콰도르	파라과이
도미니카(공)	엘살바도르	페루
볼리비아	콜롬비아	

월드프렌즈사무소 2개국

온두라스 코스타리카

초판 인쇄 2020년 12월 21일
초판 발행 2020년 12월 21일

지은이 이두리
발행인 손혁상
발행처 한국국제협력단
주소 경기도 성남시 수정구 대왕판교로 825
전화 031.740.0114
팩스 031.740.0247
홈페이지 www.koica.go.kr

펴낸이 정고은
편집 방수진
디자인 유민정
펴낸곳 (주)꽃길
등록번호 제2018-000024호(2017년 1월 9일)
주소 서울특별시 마포구 월드컵로 163-3, 1층
전화 02.336.8212

ISBN 979-11-962677-6-6(03810)
값 14,000원